P.S. Ik ben uw dochter

P.S. Ik ben uw dochter

Mirjam Oldenhave &

Jacques Vriens

Van Holkema & Warendorf

NEDERLANDSE
KINDERJURY
2005

Tweede druk 2004

ISBN 90 269 9798 1
NUR 283

© 2004 Uitgeverij Van Holkema & Warendorf,
Unieboek BV, Postbus 97, 3990 DB Houten
www.unieboek.nl

Tekst: Mirjam Oldenhave en Jacques Vriens
Omslagillustratie: Helen van Vliet
Omslagontwerp: Petra Gerritsen
Zetwerk: ZetSpiegel, Best

Beste meneer Overkamp,

Sinds ik weet dat u nog bestaat, moet ik alsmaar aan u denken.
Niet benauwd krijgen! Ik wil alleen maar één keer schrijven. Ik ben nu dertien en alles gaat heel erg goed met mij.
Ik woon op dit moment in De Klepper. Dat is een soort kotsschool voor meisjes. Het is hier ontzettend gezellig.
U moet niet bang zijn dat ik iets van u wil, hoor! Ik ben geen opdringerig type. Ik wil alleen één keer iets van me laten horen.
Ik hoop dat het met u ook zo goed gaat!

Dag, de hartelijke groeten van Sonia

P.S.1 Ik zie nu pas dat er kotsschool staat, dat was niet expres!
P.S.2 Ik ben uw dochter.

Sonja,

Ik hou niet van dit soort brieven. Gelukkig heeft Bolle (mijn kat) eroverheen gekotst en moest ik hem weggooien. Ik bedoel de brief.
Het is hier een beetje een puinhoop. Niks voor meisjes zoals jij. Het is voor ons alle twee beter als alles blijft zoals het is, ik bedoel: was.
Dag Sonja,

Ties Overkamp

P.S. Als deze brief niet aankomt, is het de schuld van Bolle. Door hem kon ik het adres niet meer goed lezen. Iets van De Klapper of zo. Wat moet je daar trouwens?

Meneer,

Ik had u nooit, nóóit moeten schrijven! Dit is dan ook het laatste wat u van mij hoort.
Niks voor een meisje zoals ik, zegt u? O nee? En wat voor een meisje ben ik dan wel niet? Misschien val ik reuze mee.
Bent u hem tien jaar geleden voor niks gesmeerd!
Kijk, ik zei tegen mijn moeder dat de maatschappelijk werkster van De Klepper Herma heet. Gewoon toevallig.
En toen zei zij: 'Herma? Volgens mij werd je vader indertijd ook geholpen door een dame die Herma heette.'
En toen dacht ik, weet je wat, ik schrijf gewoon een keer. Gewoon voor de lol. Verder niks, wat denk je wel niet!
Trouwens, ik heb allang een nieuwe vader. Hij heet Stefan, maar ik noem hem papa of pap. Hij doet allemaal leuke dingen met mij. Bijvoorbeeld naar de film gaan of gewoon samen kletsen. Hij is namelijk dol op mij. Dus u hoeft niet bang te zijn dat uw dochtergewrocht aandacht wil.
Zo.

De állerlaatste groeten van Sonia (Dus: Soníííííííía. Jémig, ik schrijf toch ook niet: *Beste Thijs*?)

P.S. Ik heb ook een kat die Bolle heet. Ik zou raar opkijken als hij over uw brief zou kotsen, want hij is een knuffel. Maar toch toevallig, hè?

7

Beste Sonia,

Mijn poes Bolle is ook een echte knuffel, net als die van jou. Het is een grote, dikke, rode kater met hier en daar een hapje uit zijn oor. Hij trapt af en toe ruzie met andere katten en het hondje van de buren, als die in ons tuintje komen. Het is een tuintje van niks, maar hij verdedigt het als een echte held. Bolle is mijn beste vriend. Ik vertel hem alles En hij luistert altijd. Mijn Bolle vond het trouwens wel ontzettend lullig dat jij over die Stefan begon. Ik heb hem uitgelegd dat die klojo allemaal leuke dingen met jou doet. Naar de film en zo. En dat ik hem gesmeerd ben toen jij drie jaar was. En dat je toen nog SonJa heette, maar dat je inmiddels Soniíííííííííía bent geworden. (Is dat een uitvinding van jezelf of heeft die moeder van je dat bedacht?)

Bolle snapt wel dat je jouw naam veranderd hebt. (Hij keek me tenminste aan alsof hij het snapte, maar ja, bij katten weet je het nooit.) Toen ik hem uit het asiel haalde, heette hij Borre, en daar hebben we Bolle van gemaakt. Hij was een echte straatkat en zwierf van het ene asiel naar het andere. Hij wilde bij mij een nieuw leven beginnen, vandaar die nieuwe naam. Dat viel hem wel tegen, want ik ben al een keer of tien verhuisd. Iedere keer maar weer verkassen met de hele poppenkast. Toen ik bij jou en die moeder van je wegging, heb ik er ook over gedacht mijn naam te veranderen, in *Thijs* of zo, maar dat is er nog niet van gekomen. Jammer dat je laatste brief je laatste brief is. Dus wat mij betreft dan ook maar de állerlaatste groeten of zo.

Ties

(O ja, nog de groeten van mijn Bolle aan jouw Bolle. Of vind je dat Bolle-gedoe maar kinderachtig? Ik in elk geval niet. Er moet wat te fantaseren blijven. Geloven in dingen die eigenlijk niet kunnen, maar die er toch zijn, gewoon omdat je het wilt.)

Meneer,

Eerst zegt u dat u geen contact wilt en dan nu ineens zo'n
aardige brief. Zeker omdat u zich schuldig voelt.
NOU, DAT IS DAN WEL MOOI TIEN JAAR TE LAAT!
En het slaat ook nog eens nergens op, want het gaat hartstikke goed met mij. Het is dus eigenlijk maar het beste dat
alles zo gelopen is. (Zo wéggelopen is.)
Ik heb geen behoefte aan u, want ik ben niet zielig.

Sonia

O, lieve meneer Ties,

Sorry, sorry, sorry! Ik ben naar de brievenbus gerend met een touwtje met een plakstift eraan, maar ik kreeg die rotbrief niet meer te pakken. Toen heb ik heel snel naar Herma gebeld om te zeggen dat ze hem niet naar u toe moest brengen, maar ze was er niet.
En nu u hem hebt gelezen, denkt u zeker dat uw dochter een kreng is. Bent u extra blij dat u bent weggelopen!
Maar meneer, het komt gewoon omdat ik zo verdrietig én blij was om uw brief, maar in plaats van huilen ga ik altijd kijven. Dat zegt de leiding hier ook.
(Doorlezen, a.u.b.!)
Ik hou nu al van (uw) Bolle! Ik heb ook hier en daar een hapje uit mijn oor! Ook van het vechten. Ik had elf ringetjes in mijn linkeroor en Chrissie, mijn vriendin, is er een keer aan gaan hangen toen we ruzie hadden. Rats! Het klonk alsof er klittenband werd losgetrokken. Maar je ziet het niet, want mijn haar zit ervoor. Dus als (áls) we elkaar een keer ontmoeten, hoeft u zich niet te schamen voor zo'n rafeloor.
U vroeg toch wat ik in De Klepper doe? Nou, dat vraag ik me dus ook af! Nee, hoor. Het is een internaat voor meisjes van wie de vader is weggelopen. Ha ha.
Nee, zeg maar tegen Bolle dat het een asiel is, een meisjesasiel. Ik zit in Unit B, dat is voor de echte straatkatten.
Nu nog vijf vragen.

1. Wilt u alstublieft de vorige brief verscheuren?
2. Of verscheurt u sowieso alle brieven?

3. Moeten alle brieven nog steeds via Herma gaan?
4. Of wilt u uw eigen adres nu geven? (Ik sta echt niet ineens met mijn koffer op de stoep, hoor!)
5. Heeft u iets met Herma?

Heel veel blozende schaamgroeten van Sonia

~~Beste~~ Lieve Sonja (sorry, Sonia)

Ik kan even niet terugschrijven.
Ben (erg) ziek. Lig in bed met mijn kater (jag!)
Je hoort van me. ECHT!

Ties (XXX)

P.S. Ik weet niet of ik wel met je wil blijven schrijven. Maar ik ben
nu erg somber. Gaat wel over, hoop ik.

Beste Ties,

Ik schrok me kapot van je brief. Hij gaat de pijp uit, dacht ik. Ik ben gauw naar de leiding gerend.

Anna had dienst. (Zij heeft zo'n rustig toontje en als je niet op tijd wegduikt, gaat ze je nog aaien ook.) 'Luister Sonia,' zei ze. 'We hebben het er in het team over gehad, en wij vinden het toch beter als je het contact met je vader verbreekt. Hij houdt heel veel van je, dat weten we zeker. Maar het is niet goed voor je. Je raakt er te veel van in de war.'

Ik dacht: wat weet jij daarvan, ~~tuttttttttt~~?

O nee, ik dácht het niet, ik zéi het.

Shit, meteen kamerarrest 1. (Bij kamerarrest 1 mogen er nog meisjes op je kamer komen, bij kamerarrest 2 moet je alleen blijven.)

Gelukkig kwam Chrissie bij me. Ik gaf de brief en zei: 'Mijn vader ligt op sterven en ik mag er niet heen! Ga je mee weglopen?'

Ze las hem en toen moest ze lachen. 'Nee gek, hij heeft zichzelf gewoon lens gezopen!'

Ik haat haar.

'Je zal je eigen vader bedoelen,' zei ik. (Die staat hier namelijk regelmatig 's nachts onder het raam te lallen.)

Chrissie moest lachen. Zij is heel snel kwaad, maar over haar vader mag je gewoon alles zeggen!

Is Bolle niet jaloers omdat u met een vreemde kater in bed ligt?

Ik heb ook wel eens een kater. Wij maken hier een keer per week dreamdrinks (stiekem). Iedereen die het weekend naar huis mag, moet een fles drank mee terugsmokkelen en die mixen we dan door elkaar. Mmm! Maar de volgende dag... Aiaiai!

Trouwens, over vreemde katers gesproken: Die Stefan over wie ik schreef, dat was alleen maar om u jaloers te maken, hoor! Sorry. Hij is de nieuwe vriend van mama. Wat een ~~onuitstaanbare~~ !!!
(Als de leiding leest wat hier stond, heb ik zo kamerarrest 2.)
Ik zal niet opschrijven wat ik precies denk, maar volgens mij is er iets raars gebeurd toen hij verwekt werd. Hij lijkt zó op een aap! Dat zeg ik niet als grapje, hoor! Hij heeft overal haar en zijn ogen liggen heel diep en hij is ook nog gek op bananen.
Voordat ik hem toch 'papa' zou noemen! Echt waar, ik knip nog liever mijn tong af met een kartelschaar. Jag! (Staat er nou 'jag!' in uw brief? Ik kan het net niet lezen.)
Zielig, dat u somber bent.

Een voorzichtig kusje op uw bonkende kop,

Sonia

Lieve Rafeloor,

Je moet niet van die aardige brieven sturen. Straks ga ik nog van je houden. Dat lijkt me niet verstandig.
Ik ben een vader van niks. Echt waar. Vaders moeten opvoeden, maar daar weet ik geen bal van. Ik ben zelf ook niet opgevoed. Mijn ouders waren gescheiden en ik woonde bij mijn moeder (dat was dus jouw oma, nu ik erover nadenk). Ze zei altijd: 'Ik doe niet aan opvoeding.' Ze was zo gek als een deur, maar wel een tof mens.

Stom dat ik je zo heb laten schrikken met dat kladje van mij.
Ik kreeg jouw brief eergisteren. Toen was ik nog flink in de war.
Die Chrissie van jou heeft dus gelijk: ik zuip me af en toe lens. Soms sta ik weken droog, raak ik geen druppel aan, maar dan houd ik het niet meer. En hup, daar gaat-ie weer.
Bolle zet ik dan even de kamer uit, want die zit me altijd verwijtend aan te kijken. 'Doe dat nou niet, man! Drank maakt meer kapot dan je lief is. Straks heb je weer een kater van tien meter. Ben ik dan niet genoeg voor je?'
'Nee Bolle,' zeg ik dan, 'baasje heeft het even moeilijk. Hup, naar buiten jij!'

Wat zit er eigenlijk in jullie stiekeme mixen? Toch geen jenever, hoop ik? Dat is slecht voor je gezondheid, zie ik Bolle altijd denken als ik weer een nieuwe fles openmaak. (Als vader moet ik nu natuurlijk zeggen: 'Niet doen, die mixdrankjes!' Maar dan ben ik aan het opvoeden en daar doe ik niet aan.)
Trouwens, als Bolle níét zeurt (omdat hij toevallig niet thuis is, want dan zit hij achter de hond van de buren aan), dan is er al-

16

tijd nog Herma. Die spreekt mij ook regelmatig streng toe. Ik heb niks met Herma. (Moet er niet aan denken: ze is ongeveer vierkant, met één, twee, drie haren op haar kin.) Ze is mijn 'begeleidster', de spion van het maatschappelijk werk, en zij zorgt er voorlopig voor dat jouw brieven bij mij komen.

Ik heb een uitkering en hoef dus niet te werken. Ik kan het ook niet. Wel geprobeerd. Herma heeft laatst nog een baantje voor me versierd in een supermarkt. Bij de groenteafdeling. Ik werd stapelgek van al die wijven.

'Meneer, er zit een vlekje op de bloemkool.'

'Mevrouw, dat is een nieuwe soort: vlekbloemkool uit Japan.'

'Meneer de groenteman, die peren zijn beurs.'

'Nee mevrouw, dat zijn softies. Iets nieuws, moet u echt eens proberen. Smelt op uw tong.'

'Meneer, die wortels zijn paars in plaats van oranje.'

'Mevrouw, stop ze maar in uw reet.'

Toen werd ik ontslagen.

Maar Herma is best aardig, hoor. Ze regelt dat ik voorlopig mijn uitkering mag houden.

Gelukkig wordt het weer mooi weer. Als het een beetje meezit en ik wat beter naar Bolle luister, kan ik misschien nog wat geld verdienen met mijn poppenkast.

Dochter van me, ik had gehoopt dit allemaal voor jou verborgen te houden. Vooral van die drank. Maar goed, nu kun je in elk geval met Chrissie een club oprichten: KVZV (Kinderen Van Zuipende Vaders). Wees gerust, ik lal niet onder ramen.

Toen ik jouw brief eergisteren kreeg, was ik woest en heb ik je meteen teruggeschreven. Gelukkig stond ik toen nog zo wankel op mijn benen dat ik niet eens de voordeur haalde, laat staan de brievenbus. Ik viel over de deurmat en heb daar een paar uur gelegen met de brief in mijn hand.

Die ouwe trouwe Bolle likte me wakker. 'Is het weer zover,' mopperde hij. 'Ik kan je ook nooit alleen laten. Vooruit, in je mand en je roes uitslapen.'

Die brief sloeg trouwens nergens op.

Alhoewel, nu ik hem overlees, vind ik hem zo gek nog niet. Maar zo'n brief stuur je natuurlijk niet naar een dochter die je net hebt teruggekregen.

Nu word je vast nieuwsgierig. Daarom toch een klein stukje uit de niet verstuurde brief:

> Is die Anna nou helemaal van de pot gerukt. Dat mens is gek. Contact met je vader verbreken! Het begint net wat te worden.
>
> En ook nog kamerarrest 1 en 2. Wat is dat voor achterlijk gedoe, daar in die Klepper!
>
> Die aai-Anna (aaien ja, maar óndertussen) moet kamerarrest 10 krijgen. Eenzame opsluiting op azijn en hondenbrokken.
>
> Zeg maar tegen die Anna dat als ze nog een keer zo lullig doet, jouw bloedeigenste vader de boel grondig komt verbouwen in De Klepper.

Zo gaat het nog een tijdje door. Als ik te veel op heb, in tijden van kommer en kwel, schrijf ik vreemde brieven. Meestal ga ik dan kijven, net als jij. Terwijl mijn hart een grote zak vol verdriet is.

Dus, dochter van me, als pappie weer eens een rare brief stuurt: niks van aantrekken. Dan heeft hij toevallig net wél de brievenbus gehaald. Jag!

Dag Sonia, een voorzichtige kus op je rafeloor.

Ties

Lieve Groenteman!

Ik zit nu te wachten op mama, want ik mag dit weekend naar huis. Ze kan elk moment komen, dus het zal wel een korte brief worden.

Bedankt voor de jouwe, ik heb hem ongeveer honderdvijftig keer gelezen. Chrissie wilde hem ook zien. Terwijl ze las, mompelde ze: 'Wauw, jouw vader is echt een loenatik!' Ik zag meteen ballen voor mijn ogen draaien, zo kwaad was ik. Maar toen begon ze keihard te lachen om die wortel en later om de KVZV. 'Zo grappig is hij!' zei ze, en toen was ik niet meer boos.

Chrissie is nu bij haar weekendpleeggezin. Als ze terugkomt op zondagavond kijkt ze altijd scheel van het Nintendo-en, want meer doet ze daar niet.

Ik begrijp wel dat je zo veel drinkt, dat komt door die zak vol verdriet. Als die te lang droog staat, gaat hij prikken en steken.

(Ik dacht dat ik mama's auto hoorde, maar het was die patserbak van Simones vader. Eigenlijk moet ik nu zogenaamd toevallig naar beneden lopen, want vorige week kreeg ik zomaar vijftig euro van hem, omdat ik het weekend hier moest blijven. Dat vond hij zielig. Maar nu heb ik ruzie met Simone omdat ze niet tegen haar verlies kan, dus ik hoef dat rotgeld van haar vader ook niet meer.)

Gisteravond zijn we uit geweest! Maarten heeft ons alle zes in zijn auto gepropt en naar de Joy gebracht. (Dat is een discotheek.) Chrissie stond bij wijze van spreken al te tongen voordat ze binnen was. Binnen vijf minuten had ze een jongen aan de haak geslagen. Weet je hoe ze De Klepper noemen in de Joy? De slettenflat. Je begrijpt zeker wel aan wie we die naam te danken hebben.

Trouwens, er is een jongen op mij, Boy heet hij ook nog. (Boy from Joy, haha.) Gisteren was hij er weer en...

Wacht even.

Ties, zul je nooit meer weglopen? Wat ik ook schrijf? Ook al ben je zo somber als een oude pissebed! Gewoon blijven schrijven. Al is het alleen maar: *Jag. Gr. Ties.* Goed? Dat wil ik eerst even zeker weten. Daarna durf ik je alles te vertellen.

Ik dacht trouwens dat Herma heel mooi en jong was! Zo klinkt ze wel door de telefoon.

O, ik word geroepen, ik denk dat mama er is. Ik stop de brief gelijk in de brievenbus.

Bolle, pas goed op je baas!

Dag Ties, kusje op je onopgevoede wang,

je keurige dochter

Hoi Ties,

Niet dus. Het weekend kan niet doorgaan, want mijn moeder heeft het te druk. Ik moest haar van Maarten bellen omdat het zo lang duurde.
En toen zei ze het.
Ze had wel geprobeerd me te bellen, maar het was steeds in gesprek. Daarna heb ik Maarten verrot gescholden, dus dat zal wel weer een heel weekend hondenbrokken met azijn worden. Ties, ik moet eigenlijk zo huilen. Zit ik hier weer op die ~~kamer~~ kamer, ik had me er net zo op verheugd.
Nou ja, het kan me ook geen bal schelen. Ik ga gewoon tv kijken. Of misschien is er op Unit A nog wel iemand die het weekend hier blijft.

O, Maarten vraagt of ik met hem mee ga naar de stad. Aardig! Nu heb ik ineens zo'n spijt van wat ik net tegen hem zei (schreeuwde). Nou ja, misschien ga ik nog wel sorry zeggen ook.

Jag. Gr. Sonia

Ties,

Jij denkt zeker, ik heb haar even blij gemaakt en nu ga ik er weer vantussen. Pompidom en toedeloe! Staart tussen je poten, omdraaien en wegwezen.
TIES OVERKAMP, VERGEET HET MAAR!!!
Je komt nooit meer van me af! De rest van je leven zul je mijn hete adem in je nek voelen. En ook als je de pijp uit gaat zal ik blijven schrijven, dan schuift Herma die brieven maar in je kist. Ik ben geen openbaar toilet, waar je naar hartenlust kunt komen zeiken wanneer het jou toevallig uitkomt!
Vanaf nu heb ik een vader, ook al ligt hij laveloos op de deurmat, dat kan me niks schelen. Ik blijf gewoon schrijven.
Ziezo!

Sonia

Lieve Sonia,

Wat een neuroot ben jij, zeg! Je lijkt zeker op je vader. Ik krijg een bombardement van brieven en als ik niet meteen terugschrijf, gaan we zeiken. Wie is hier een openbaar toilet?

Ik heb mijn handen vol aan mezelf en toch doe ik mijn best om mijn dochter, die ineens uit de lucht is komen vallen, (on-)regelmatig terug te schrijven.

Maar goed, jíj hebt ook je handen vol aan jezelf, dus als je wilt blijven bombarderen, je gaat je gang maar. Maar hol niet om het uur naar de brievenbus, want daar word je alleen nog maar gestoorder van.

Ik was trouwens gisteren al bezig met een brief aan jou. Had ik bijna af. Ik maak hem NU even af en stop hem hierbij. Dat is bijzonder, want ik doe nooit iets op commando. Ik kan niet tegen mensen die de baas over mij willen spelen.

Voor jou maak ik een uitzondering, lieve neuroot. Lees maar gauw (en een beetje vlug!)

Lieve Sonia,

Stom hoor, dat je moeder je zo laat zitten. Meer zeg ik er niet over. Ik heb een hekel aan kerels die altijd zitten te zeuren over hun ex-vrouw.

Heb ik ook gedaan. Wat was ik pissig toen ik bij haar wegging. Pissig op je moeder en op mezelf, omdat we er zo'n puinhoop van gemaakt hadden. Je moeder was voor mij, bij nader inzien, geen prettig mens.

Nou ga ik toch weer katten. Niet doen, zegt Bolle. Bolle is trouwens de laatste dagen een beetje hangerig. Ik bedoel hangeriger dan normaal. Hij hangt altijd breeduit op tafel, de bank, mijn bed of op het aanrecht. Maar hij gaat dan wel een paar keer per dag een luchtje scheppen, op vogeltjes jagen of de hond van de buren pesten. Dat doet hem goed. Daarna weer gauw naar binnen en plof op de bank.

Sinds een paar dagen zet hij geen poot meer buiten en kijkt heel zielig. Ik ga straks even met hem naar de dierenarts. Lijkt me wel verstandig.

Dan twee belangrijke vragen.

Vraag 1 (van Rafeloor aan Groenteman):
Je schreef: Ties, zul je nooit meer weglopen?
Je maakt het mij wel moeilijk, Rafeloor! Ik word hier een beetje zenuwachtig van. Maar ik moet er ook niet aan denken dat ik geen brief meer van jóú krijg.
Ik zal echt mijn best doen, dat beloof ik. In geval van nood wordt het *Jag.Gr.Ties.*

Belangrijke vraag 2 (Van Groenteman aan Rafeloor):
Hoe ben jij in De Klepper verzeild geraakt?
Als je het niet wilt vertellen, ook goed. We hebben een heel stuk van elkaars leven gemist. Moeten we dat nog inhalen? Of zeg je: laat maar zitten!
Ik vind trouwens dat je erg geestig kunt vertellen over De Klepper. Het is daar natuurlijk regelmatig ellendig, maar ik moet er vaak wel om lachen. In tijden van kommer en kwel is enige gekte altijd welkom, vind ik.

(Tot hier was deze brief al geschreven. Ik schrijf er een klein stukje bij, dan kan hij net op tijd naar de brievenbus. Want voor je het weet, ben je tien brieven achter met een dochter als Rafeloor.)

Zo meteen ga ik met Bolle naar de dierenarts. Eerst een list verzinnen, want zodra hij de poezenmand ziet, neemt hij de benen. Dag Rafeloor, maak je geen zorgen. Ik denk vaak aan je. Zelfs als ik laveloos op de deurmat lig.

Liefs,
Ties

Lieve Ties,

Ooo, ik heb weer zo'n spijt van die kijfbrief!
Toen er woensdag geen post voor me was, dacht ik: zie je
wel, hij heeft nu alweer genoeg van me. Dat vond ik zo
vreselijk! En dan ga ik dus dat soort dingen zeggen.
Ik wou dat ik in mijn leven een delete-knop had. Dan kon
ik mijn fouten gewoon weer uitwissen. (Kon ik ook mooi
af en toe een lastig persoontje deleten. Goodbye Simone!)
Ik ben heel blij dat je toch hebt teruggeschreven.

Was jij kwaad op mijn moeder? Gek, ik dacht juist zij op
jou! Ik dacht dat jij een gezin niet aankon. Omdat je dan
van alles moest: afwassen, op tijd naar bed, geld verdienen… Daar kreeg jij het stikbenauwd van. En dan ook nog
zo'n druk kind.
Dus jij dacht: deze jongen gaat er mooi vantussen! Tja, toen
zat mijn moeder alleen met dat jankende zenuwkind.

Ze weet niet dat ik contact met je heb. Ik durf het nog niet
zo goed te vertellen. Zij zegt trouwens ook altijd dat ik op
jou lijk, dus wat dat betreft zijn jullie het met elkaar eens.

En dan nu het antwoord op vraag twee van Groenteman
aan Rafeloor:
Ik zit in de klotenklepper omdat mijn houdbaarheidsda-
tum verstreken was.
('Nu even zonder grapje,' zegt Maarten altijd.)
Oké dan: ik zit hier omdat ik thuis onhoudbaar was.
Zo, nu weet je het.

Jij had toch iets geschreven over jouw moeder? Míjn oma? Ik heb daar een brief op teruggeschreven die ik gelukkig niet heb opgestuurd. Ik was woedend omdat je schreef dat ze gek was.

Weet je dat ik vroeger elk weekend bij haar mocht logeren? Zij werd nooit kwaad als ik lomp tegen haar deed. En als ik daarna sorry zei, antwoordde ze: 'Het geeft niet, een mens mag alle seizoenen hebben.'

Ik janken. 'Ja maar oma, het lijkt wel alsof ik alleen maar de winter heb!'

Toen zei ze: 'Meidje, bij jou zit de lente in je hart, de zomer in je ziel, de herfst in je geest en de winter in je mond.'

Weet je, Ties? Jij schrijft soms zoals oma praatte. Niet benauwd worden, hoor! Ik zal geen dreigbrieven meer schrijven als je weer eens op apegapen ligt.

Ik maak me een beetje zorgen over Bolle. Wil je schrijven wat de dokter zei?

Dag lieve Groenteman, geef Bolle maar een dikke zoen van mij (en snel een beetje!) en neem er zelf ook eentje.

Je ijskonijn.

Rafeloortje,

Ik weet het, ik laat je wer te lang wachten.
Het gaat evn niet goetmet me. EVEN, dus niet in de strets schie-
te. Zei je oma altijd: ik raak in de strets van jou, Tiesje.
Goetdt hè!
Hallo, ik kan nie eens meer fasoenlijk schrijven .
Die lekkere klote jenevre.
De lucht is blauw ik hou van jou.
De lucht is oker je vader is een joker
Das wel een fijn gevol geveol, GEVOEL ik wodr dislekt Ties
Ik scrijf nooit brieven zo. Ik bedoel na een liter. Alleen aan jou-
joujou
Zulle we dansen in de manenennnschijn, in de zonnenscijn op
het strand, ik schrijf in het zand RAFELOOR .
We vluchten weg van De Kleppers en de klappers en de Anna's
en de Herma's en al die andere aaaaaaas.
Dansen dde wolken in, oma opzoeken. Tof gek wijf.
Nu jank ik. Almaal drank, zegt Bolle, allemaal drank. Gelijk heef-
tie
Je hoort van me. Jag jag jag dikke zoen

Teis Tiiis shit TIES

Lieve Ties,

Ehm... Gaat het weer een beetje? Ik zal maar extra duide-
lijk schrijven, voor als je ogen nog raar staan.
Ik heb meteen Herma gebeld om te vragen of ze even naar
je wilde gaan kijken, maar ze zei: 'Als je vader zo is, wil hij
niemand spreken.'
Ik zei: 'Maar Bolle moet eten hebben.'
Herma: 'Tja, als we daaraan gaan beginnen...'
En heb ik gekijfd, heb ik lomp gedaan, heb ik haar verrot
gescholden?
Nee meneertje!
Ik dacht, als Herma mij niet meer moet, ben ik meteen mijn
hele vader kwijt. Dus dit beschaafde meisje zei: 'Ja, ha ha,
dat is natuurlijk waar.'

Ik ga zo naar mama. Ze heeft me iets leuks te vertellen, zei
ze aan de telefoon. Heel, heel misschien is ze niet meer
moe. Dan mag ik weer terug naar huis.

Ties, als dat zo is, vertel ik haar meteen dat ik met jou
schrijf. En als ze dat niet goed vindt, blijf ik het toch doen!
Dat beloof ik je. Ik laat je nooit meer in de steek. De lucht
is van goud, omdat mijn vader weer van me houdt.

Sterkte met je ene kater en een kusje voor de andere,

Sonia

Lieve Sonia,

Ik heb je dus weer zo'n achterlijke brief gestuurd. Sorry!
Lief dat je zo aardig reageerde. En maak je geen zorgen over
Bolle. Al moet ik naar de ijskast kruipen, hij krijgt zijn voer. En
mocht ik het een keer vergeten, dan gaat hij gewoon met zijn
dikke kont boven op mijn duffe kop zitten en miauwt het hele
huis bij elkaar.
Ik had weer behoorlijk gezopen. Nadat ik mijn roes had uitgeslapen, zei buurvrouw Suus: 'Ik heb die brief voor je gepost.'
'Welke brief?' vroeg ik.
'Die aan je dochter.'
Wat heb ik nou weer gedaan, dacht ik. Toen herinnerde ik mij
vaag dat ik gedroomd had dat ik jou een lange, gezellige, vrolijke
brief schreef.
'Maar het is geen droom, liefste!' (Dat moest ik vroeger zeggen
in een toneelstukje op de kleuterschool. Volgens oma zei ik: 'Het
is geen droom, biefstuk!' Wist ik veel. Ik was vijf.
Ze heeft het je misschien wel eens verteld. Oma had zo haar
vaste repertoire, vooral toen ze ouder werd.)
Ik ben kennelijk zelf op weg geweest naar de brievenbus, en halverwege gestrand. Volgens buurvrouw Suus zat ik op de rand
van de stoep treurig voor me uit te staren.
'Wat doe je daar?' schijnt Suus gevraagd te hebben.
Ik ben in huilen uitgebarsten en heb wanhopig geroepen: 'Ik ben
de brievenbus kwijt!'
Toen heeft ze me naar huis gebracht en de brief voor mij gepost.
Buurvrouw Suus en haar man Arie zijn lieverds. Ze zijn bijna ze-
ventig, bemoeien zich weinig met me, maar houden me wel in de
gaten. Als het nodig is, verlenen ze me geestelijke bijstand, bren-

gen af en toe een pannetje soep en posten dus mijn brieven.
Als ik depri ben, draai ik altijd keihard Queen. (Zegt je dat nog
iets of is dat al ouwelullenmuziek? Freddy -moge hij rusten in
vrede- en zijn maten maakten in elk geval wel échte muziek.)
Ik vroeg een keer aan buurvrouw Suus: 'Hebben u en uw man
geen last van die herrie?'
'Nee hoor, meneer Overkamp. Ik seg dan tége mu man: "Hij héb
het weer!" Nou en dan sette we onse gehoorapparaten wat
lager.'

Ik hád het dus weer, Rafeloor! Het kwam door de poppenkast-
voorstelling.
Poppenkast? Ties, ben je nog steeds dronken?
Dank u, ik ben heel helder.
Ik heb het geloof ik al eens eerder geschreven: je vader speelt in
de zomer poppenkast op jaarmarkten, braderieën en andere
plekken waar mensen hun zondag proberen door te komen.
Reden: ik heb een uitkering en moet af en toe wel 'werken' om
daarna weer lekker te mogen profiteren van de maatschappij.
Heeft Herma voor me geregeld.
In de winter probeert ze me wel eens ergens anders te droppen
(bijvoorbeeld op die groenteafdeling met van die bloemkooltypes), maar dat wordt eigenlijk nooit iets.
Maar poppenkast spelen lukt aardig en vaak vind ik het nog leuk
ook. Vooral als ik na afloop met mijn hoed rondga en het publiek
indringend aanstaar. Kassa!
Ik heb ook nog een tijdje bij een jeugdtheatergroep gespeeld,
maar de spelers wilden op een dag ineens experimenteel gaan
doen. Het was afgelopen met de spannende en vrolijke toneel-
stukken voor kinderen. We moesten allemaal raar gaan gillen,

een theepot spelen die op zoek is naar zichzelf of een eierwekker met aids. Het publiek snapte er niets meer van en ik trouwens ook niet. Ik ben met ruzie vertrokken.

In de poppenkast kan ik gewoon lekker uitpakken en heb ik met niemand wat te maken. Ik speel meestal het degelijke ouderwetse Jan Klaassen en Katrijn-werk. Jan is te beroerd om ook maar één poot uit te steken in het huishouden en Katrijn ramt er regelmatig op los met de afwasborstel.

Vorige week heb ik me laten verleiden om op een kinderfeestje te spelen. Dat had ik dus niet moeten doen!

Ik er 's middags heen met mijn spullen. Ik heb een ouwe Renault F6 (een soort rijdend koekblik), waar mijn poppenkast net in past. Ik werd ontvangen door Madame Kak herself! Daarbij vergeleken waren die kapsones bloemkooltypes van de groenteafdeling slechts eenvoudige communicantjes.

'Fijn dat u er bent, poppenkastman. We zijn nog even geoccupeerd met de speurtocht, maar u kunt vast uw materialen deponeren in de grote salon.'

(Ik heb 'geoccupeerd' later nog even opgezocht: het betekent gewoon 'bezig zijn'. Mét kak, natuurlijk.)

Daarna zag ik anderhalf uur lang niemand meer. Er was niks te drinken, geen sprits of gevulde koek, laat staan een gebakje, terwijl Liselotte toch jarig was. Voor dat soort crisissituaties heb ik altijd een zakflaconnetje bij me.

Ik heb niet eens zo veel gedronken, maar toen Liselotte en de andere verwende rijkeluiskindjes binnenkwamen, was ik toch al aardig opgefokt. Ik heb meteen de beuk erin gezet. Jan Klaassen vloekte en tierde en Katrijn liet Jan alle hoeken van de kast zien. Toen ze de heks erbij haalde om Jan 'om te toveren' tot een geëmancipeerde huisman, heb ik het verhaal helemaal uit de hand laten lopen. De heks ging ervandoor met Jan. In de kast (niet zichtbaar) gingen Jan en de heks tekeer ('Kreun, kreun, o Jan, wat doe je dat toch lekker!') en Katrijn riep dat ze onmiddellijk wilde scheiden.

Toen greep Madame Kak in. Terecht natuurlijk, want het werd (achteraf gezien) wel erg grof voor Liselotte en die andere rijkeluisjes.

Maar ik was boos, héél boos en lichtelijk aangeschoten.

De kinderen werden razendsnel afgevoerd, ik kreeg € 50 in mijn hand gedrukt en werd de deur uit gewerkt. Een half uur later zat ik thuis en dacht: dít is dus mijn leven. Wat ben ik eigenlijk? Ik ben Jan Klaassen en Katrijn, meer niet. Ik ben een theepot die op zoek is naar zichzelf!

Hoe het verder ging weet je.

Maar nu gaat het weer goed met me. Mijn enige zorg is Bolle. Ik ben al twee keer bij de dierenarts geweest. Bolle heeft een of ander raar gezwelletje op zijn bolle buik. De dierenarts keek nogal bedenkelijk en moet hem waarschijnlijk opereren. Maar het komt allemaal goed, heeft hij mij verzekerd. Bolle heeft inmiddels een soort peppillen en is weer aardig zichzelf.

Nou is hij gelukkig nooit zo'n ADHD-kater geweest. Van jongs af aan de rust zelve. Dus hij sjokt weer rustig door het huis, schept zijn luchtje en pest af en toe de hond van Suus en Arie. Die vinden dat gelukkig niet erg. Hun hond is een aanstellerig, verwend poedeltje dat ze van een héél oude tante hebben geërfd, toen die ging hemelen. Suus vond het 'so sielig als dat het kleine beesie naar het asiel moes.' Het beest heet Pluisje (ook dat nog). In het begin deed het loeder ontzettend vervelend tegen Suus en Arie. ('Kanonne, meneer Overkamp, die takkehond bijt so maar in mu kuiten!')

Door de acties van Bolle (Jacht op de Takkehond, deel 1) kreeg 'Pluisie' eindelijk in de gaten dat ze niet alleen op de wereld was. Het beest had Arie en Suus ineens hard nodig. Wat kunnen poedels dan slijmen, zeg!
Leve onze Bolle!

Zoen!
Ties

Ties,

Het gaat helemaal niet goed. Ik zit weer op mijn kamer en ik moet straks op gesprek bij Dakman, de baas van De Klepper.

Ik schreef toch dat mijn moeder goed nieuws had? Luister maar. Die baviaan (Stefan) was me komen halen. Ik baalde eigenlijk al dat mijn moeder niet zelf kwam, maar daar heb ik niets van laten merken. Echt niet.

Zat mama me heel blij op te wachten. 'Sonia, we hebben prachtig nieuws!'

Ik werd helemaal warm. Ik dacht: zou ik de grote slaapkamer krijgen of het kleintje?

Wat bleek nou?

Ze is zwanger!

Ik zei: 'O, de eerste is mislukt, dus je probeert het gewoon nog een keer! Slim! En nu maar hopen dat ze niet te veel op mij lijkt. Nou ja, anders is er altijd nog De Klepper. Huppetee, weg ermee!'

Mijn moeder moest huilen en Stefan zei dat ik mijn excuses moest aanbieden.

Ik!

O ja, mijn moeder zei ook nog: 'Kun je dan nooit eens blij zijn voor een ander?'

Toen ben ik maar weggelopen. Ik dacht, ik ga Ties zoeken. Dus ik ben naar Herma's huis gelift. Ik weet dat je bij haar in de buurt woont. Daar heb ik een paar uur gezocht en alle mannen die ik tegenkwam zo vriendelijk mogelijk aangekeken. Misschien heb ik je wel gezien. Gek idee, hè? Ik heb ook goed op rafelkatten gelet, en op poedels.

Toen werd het donker en ben ik naar de kroeg gegaan waar Boy werkt. Ik had wel geluk met liften, dat moet je ook maar afwachten.

Ondertussen was ik nog steeds zo boos dat ik er helemaal van trilde. Maar ik liet niets merken aan Boy. Niet dat dat zo moeilijk is. Als je op sterven ligt, heeft hij het nog niet in de gaten. Ik mocht wel met hem mee naar huis en daar ben ik een paar dagen met van alles geoccupeerd geweest. Ik was net een deurmat, zal ik maar zeggen.

Toen ben ik met hangende pootjes teruggegaan naar De Klepper. Iedereen zat op school, maar Maarten had gelukkig dienst. Hij leek wel blij dat ik er weer was.

(Mijn moeder had zodra ik weg was naar De Klepper gebeld en ze hadden ook de politie gewaarschuwd.)

Toen ik (zo'n beetje) verteld had wat er gebeurd was, zei Maarten: 'Ik zou ook balen, hoor!'

Dat vond ik zo lief, want ik dacht steeds: normale mensen zouden blij zijn voor hun moeder. Ik begon meteen te janken omdat ik te moe was om te kijven, en toen mocht ik heel lang onder de douche. (Anders hebben we altijd een schakelklok van vier minuten.) Lekker! Toen ik eruit kwam, was ik net zo rimpelig als oma.

's Avonds moest ik in het kamertje komen bij Maarten, Anna en Katja (het unithoofd). Ze hadden een speciale vergadering over mij gehouden met het hele team. Anna vond dat ik mijn excuses moest aanbieden aan mijn moeder. Maar Maarten zei: 'Ik snap best dat Sonia woest is. Als mijn vrouw heel trots haar nieuwe minnaar aan me zou voorstellen, ga ik haar toch ook niet feliciteren?'

Ik moest lachen.

Katja, het unithoofd, zei: 'Er valt voorlopig voor jou niets te lachen.'

Ik zal maar niet vertellen wat ik terug zei, oei oei oei...

Die nacht ben ik lekker bij Chrissie in bed gaan liggen. Zij was hartstikke ongerust geweest. Ik heb jouw brief aan haar voorgelezen en toen hebben we voor elkaar poppenkaststukjes verzonnen. Ik heb bijna in haar bed gepiest van het lachen. Zij had pottenkast verzonnen, waarin Katrijn verliefd was op de heks. En ik kon met mijn pink heel precies de piemel van Jan Klaassen nadoen.

Pfff, wat een lange brief, hè? Verveel je je al? Ik zal je in de volgende brief vertellen wat Dakman met me wil. Misschien moet ik wel naar Harsholt, dat is nog erger dan De Klepper. Nou ja, ze doen maar. Als ik maar nooit meer naar die happy-monkey-family hoef.

Héél af en toe denk ik: misschien krijg ik wel een zusje. Maar dan zie ik haar voor me met overal haar en roze billen, dus laat maar...

Ties, wanneer wordt Bolle geopereerd? Dank je wel voor je brief en sorry voor alles.

Dag biefstuk. Heel, heel veel sterkte voor Bolle.

Sonia

Lieve Sonia,

Ik voel me een grote flapdrol, want in plaats van dat ik je meteen opbel en zeg: 'Kom maar hier naartoe en laat die zwangere moeder van je en die bananenvreter en die achterlijke Anna Kleppertrut maar barsten,' doe ik helemaal niks.

Nou ja, ik heb jouw brief wel tien keer overgelezen, maar ondertussen geen poot naar je uitgestoken. Ik was kwaad op dat hele zootje daar in en om De Klepper, maar ik schrok me ook kapot (alweer ja). Jij hebt hier dus bij mij in de buurt rondgezworven! En ik heb je gezien. Weet ik bijna zeker. Ik reed in mijn koekblik en zag een meisje lopen. Ze keek niet echt vrolijk en ik dacht: dát zou Sonia kunnen zijn. En ik dacht er meteen achteraan: Nog niet! Ze moet nog niet komen!

Nu vind je mij dus óók een grote flapdrol, maar lees alsjeblieft verder.

Ik ben er nog niet aan toe. Wat klinkt dat soft zeg, alsof we samen in een therapiegroepje zitten.

'Zegt u maar gewoon wat u voelt, meneer Overkamp.'

'Nou Babs, (ik heb nog eens een tijdje therapie gehad en dat mens heette inderdaad Babs. Na drie sessies ben ik gestopt. Ik werd er alleen maar nóg gekker van.) ik heb ineens een dochter. Zomaar, ik lette even niet op en daar was ze. En ik ben van die meid gaan houden alsof het mijn eigen dochter is.'

'Meneer Overkamp, ze ís uw dochter!'

'Dat is het nou juist. Ik heb eigenlijk nooit een dochter gehad. Ja, die lieve kleine peuter met die twee staartjes, op dat fotootje in mijn portemonnee. Maar nu heb ik ineens een stoere meid van dertien, die in een tehuis is geparkeerd.'

'Je bent bang, Ties Overkamp. Dat is het!'

'Nee, helemaal niet... Of toch. Misschien wel. Ja dus. Ik ben bang dat ze teleurgesteld zal zijn in mij. En dat ik niet goed weet wat ik met haar aan moet. Ik ben een opvoeder van niks.'

'Dan moet u nú het contact verbreken. U schept verwachtingen, meneer Overkamp, die u niet waar kunt maken.'

'WAT! Contact verbreken! Al zou ik het willen, ik kán het niet. Ik heb trouwens Sonia beloofd dat ik nooit meer voor haar wegloop.'

'Ha ha, die beloftes van u kennen we, meneer Overbeek.'

'Deze keer houd ik mijn belofte!'

'Dat is dan voor het eerst in uw leven.'

'Babs, eruit!'

Ik zit eromheen te draaien, lieve Rafeloor. Ik probeer weer leuk te doen, terwijl ik me eigenlijk schaam tegenover jou.

Geef me alsjeblieft nog wat tijd.

Ik laat je niet in de steek, echt niet. Ik maak me zorgen om je. Eigenlijk wil ik dat niet en toch weer wel. Ik zeg soms vol trots tegen Bolle: 'Ik heb een dochter!'

Gelukkig dat er in De Klepper ook mensen rondlopen met wie je het wél goed kunt vinden.

Wel vraag ik me bezorgd af wat je met die Boy moet. Deurmat? Wat moet ik me daarbij voorstellen? Dat bedoel ik dus: geen enkele ervaring met dochters van dertien. Pas je een beetje op jezelf?

En dan zijn er nog je moeder met haar baviaan. Ik vond jou als baby heel lief. Ik heb je nog schone luiers omgedaan en fruithapjes gegeven. Meestal nam je moeder het meteen over ('Ties, je doet het wéér niet goed!').

Soms denk ik wel eens: was je moeder maar weggelopen. Dan had ik voor je gezorgd. Maar daar had ik natuurlijk ook een puinhoop van gemaakt.

Schrijf me zo vaak je wilt, lucht je hart en heb ondertussen vertrouwen in die paar mensen in De Klepper die je wél begrijpen. Hopelijk is Dakman, over wie je schreef, ook zo'n figuur.

Ik beloof je: er komt een dag dat we elkaar zullen zien.

Veel liefs,
Ties

P.S. Bolle wordt volgende week geopereerd. Het gaat op dit moment wel goed met hem.

Lieve Ties,

Ik heb net een lekker warme douche gehad. Niet op mijn lichaam, maar vanbinnen.
Weet je hoe?
Post van jou!
Ik heb je brief meteen aan Maarten laten lezen. Hij bleef even stil en toen zei hij: 'Ik wou dat ik zo'n vader had!' Lief toch?

Dus je hebt me misschien zien lopen! Ik droeg een rood met zwart leren jack, klopt het?
Ik hoop dat je niet geschrokken bent. Mijn haar was nat, mijn mascara zat tot naast mijn mond en ik was heel erg boos. Normaal zie ik eruit als een engeltje, dat begrijp je natuurlijk wel.
Je hoeft je niet te schamen. Ik ben niet boos op jou.
Vanavond aan tafel zat ik te vertellen over de jacht op de takkehond, en toen zei Anna ineens: 'Jij bent altijd boos, op iedereen. Je zou nog een musje kunnen uitschelden. Maar je vader kan geen kwaad bij je doen. Is dat niet typisch?'
Ik zei: 'Nee, dat is niet typisch, Anna Klepperkop.'
Iedereen moest lachen. Zij zelf ook. Dat vond ik eigenlijk wel een beetje aardig.

Ondertussen is het hier wel dinges met peren. Ik ben dus bij Dakman geweest. Hij zei ook al, net als mama, dat ik onhoudbaar ben. (Dat betekent dat je niet van me kunt houden, Ties!)
Ik dacht: Dakman, zak maar in de kak man. 'Moet ik weg?' vroeg ik.

42

'We hebben besloten je nog een laatste kans te geven,' zei hij.

('We', dat zijn denk ik Dakman, onze lieve heer en de koningin.)

Het komt erop neer dat ik naar Intensief moet (Unit C). Weet je wat dat betekent? Babs, Babs en nog eens Babs. Totdat de Babs echt je óren uitkomt, en zelfs dan: doorbabsen! Therapie dus.

Ik mag gelukkig wel op B blijven wonen. Maar ik moet van school af, ik krijg daar speciale lessen. En de rest van de tijd moet ik aan mezelf werken. Net zolang tot ik iemand anders ben geworden.

Nou ja, ik zal wel zien. Zo is het ook niks, dat is me wel duidelijk. Ik moet zo vaak huilen, zomaar! Stoere dochter, ha ha. Ik bedoel: boehoehoe. Misschien is mijn ijsklomp aan het smelten, door die binnendouche van jou.

Over mijn deurmatweek durf ik je nog niet te vertellen.

Ik moet van de leiding een brief aan mijn moeder schrijven.

'Wat moet erin dan?' vroeg ik.

Dat moest ik zelf maar bedenken.

Chrissie zei dat ik dit moest schrijven:

Wèh, wèh, wèh, wèh!
Wèh, wèh, wèh!
Wèh, wèh, wèh, wèh!
Enz

Dan kan mijn moeder vast aan die baby wennen. Ik vind het moeilijk om aan haar te denken.

Ik praat alleen maar over mezelf! Waarom ging jij toen naar die Babs? En hoe gaat het met je? Ik vind het zo lief dat ik in je portemonnee zit. Dank je wel voor je belofte! Ik wacht wel, hoor!

Nou, ik ga met Chrissie naar het winkelcentrum. Zij heeft een rokje gekocht, maar ze wil het ruilen omdat ze het te groot vindt. Te groot! Het lijkt nu al meer een riem dan een rokje, maar ja.
Dag lieve dinges, ik zal duimen voor Bolle!

Kusje van voor altijd je dochter

Lieve Ties,

Ik wil je niet opjutten. Jij hebt het natuurlijk druk met je poppenkast en met Bolle en zo. Je moet gewoon schrijven wanneer je zelf wilt.
Maar ik ben ineens zo bang dat je dood bent. Kun je even laten weten of dat klopt? Volgens mij heb ik veel te zielige zeurbrieven geschreven. Maar alles is nu weer goed, hoor! En ik zal ook nooit meer naar je gaan zoeken. Gewoon zoals jij het wilt, doen we het.
Maar wel blijven schrijven en a.u.b. ook blijven leven.

Kusje van Sonia

Lieve lieve Sonia,

Hij is niet dood. Hij leeft!
Leve de oude Ties Overkamp. Groenteman, zuiplap, mislukt acteur, poppenkastspeler en… vader! Hij zal doorgaan tot hij erbij neervalt op de deurmat en weer opstaat!
Rare kwibus!
Wie?
Jij, Sonia!
En ik natuurlijk, maar dat telt niet. Dat is normaal. Ik snap je hartstikke goed (maar pas op voor begrijpende ouders). Ik snáp dat je ineens bang was dat ik richting oma was vertrokken.
Vanmorgen is Bolle geopereerd. Ik moest hem om acht uur inleveren bij de dierenarts. Daar stond ik dan met mijn mandje vol zielige poes.
En ik was bang, ongelooflijk, wat was ik bang.
Net als Bolle. Hij voelde allang op zijn zachte kussenklompjes aan dat het nu écht ging gebeuren. Dat eerdere bezoekjes aan de dokter slechts de inleidende manoeuvres waren geweest voor iets veel ergers.
Hij wist het trouwens gisterenavond al. Ik zat mezelf moed in te drinken. Voor mijn doen met bescheiden middelen. Ondertussen heb ik Bolle eindeloos geknuffeld, tegen hem gepraat en geprobeerd hém moed in te spreken.
Wat doet het baasje raar, dacht Bolle. Natuurlijk, hij is altijd lief voor mij, maar zo slijmerig als hij nu doet, dat is nog nooit vertoond.
Ik heb Bolle vanmorgen met geweld die mand in moeten proppen. Hij heeft me behoorlijk gekrabd. Het kon me niks schelen.

Krab me maar, dacht ik, want ik voelde me een schoft. Alsof ik een ter dood veroordeelde naar het schavot bracht.

Maar laat ik je geruststellen. De operatie is goed verlopen, al duurde het veel langer dan we hadden verwacht. Het gezwelletje op zijn buik is weggehaald, maar ze ontdekten ín zijn buik ook nog iets. Daardoor werd de operatie veel lastiger. Bolle is nu nog bij de dokter. Ik mag hem morgen pas ophalen.

Ik heb hem vanmiddag even mogen zien, maar hij was nog onder narcose. Ik kon wel janken, het leek net of hij al naar de poezenhemel was vertrokken. (Dat zei oma vroeger altijd. Ik had als kind ook een kat en toen die doodging, verzon ze een speciale hemel voor hem. Daar was oma trouwens heel gemakkelijk in. Als ze een vlieg doodsloeg, zei ze: 'Zo, die is naar de vliegenhemel!')

Ik heb daarnet nog even gebeld naar de dierenarts. Bolle is weer uit zijn droom ontwaakt en wordt beter. Maar het zal wel even duren voor hij weer helemaal de oude is.

Hij is niet dood. Hij leeft! Leve de goede oude Bolle! Muizenvanger, Pluisjespester, Ties-trooster, dikke vreetzak en... vriend. Ik heb mezelf beloofd vanavond niet te drinken, ter ere van Bolle. Als hij moet lijden, moet ik dat ook! Ik ga zo nog even naar Suus en Arie om ze het laatste medische nieuws te melden.

Door al dat gedoe met Bolle heb ik niet meteen gereageerd op je brief over Dakman, zak in de kak man. Je schreef daarna dat alles weer goed gaat. Geen Unit C? Geen Babs? Hoef je niet aan jezelf te werken? Mag je gewoon jezelf blijven?

En ik heb je gezien, Sonia! In je rood met zwarte leren jack. Op die mascara heb ik niet gelet.

En die brief aan je moeder? Heb je die al geschreven? Misschien moet je haar proberen uit te leggen dat je tijd nodig hebt om te wennen aan het idee dat je een broertje of zusje krijgt. Nou ja, een half. Dat moet ze toch snappen.

Zoals jij snapt dat ik tijd nodig heb om aan jou te wennen. Net als je oma. Ik kwam niet zo vaak bij haar, maar als ik er was, begon ze altijd over 'die arme kleine Sonia'.

Ik snauwde meestal iets van: 'Hou daarover op. Ik heb geen dochter.'

Dan werd ze kwaad en kregen we slaande ruzie. En ik bleef daarna maanden bij haar weg. Maar na een tijdje miste ik haar en zocht haar toch weer op en kregen we weer net zo hard heibel. Op een keer zei ze ineens : 'Het doet je pijn, hè Ties? Je mond zegt iets anders dan je ogen.'

Dat was raak! Mijn ogen stonden meteen vol tranen.

Vanaf die dag sprak ze niet meer over jou. Eén keer, het was vlak voor haar dood, ze lag al in het ziekenhuis, heeft ze nog iets op een briefje geschreven. Het ging over jou.

Ik was de dag daarvoor nog bij haar geweest. Ze lag wat in zichzelf te mompelen en liedjes te zingen. Ik dacht: die is al hard op weg naar de oma-hemel.

Volgens de verpleegsters had ze af en toe nog wel een helder moment, maar dat bewaarde ze kennelijk niet voor het bezoekuur. Op een van die lichte momenten heeft ze met bibberende hand geschreven: *Ties, lieve klootzak, er komt een dag dat je dochter je nodig heeft. Ik houd je in de gaten. Een knuffel van je moeder.* Dat briefje vond ik na haar dood tussen haar spullen. Weer schoot oma raak.

Ach Sonia, ik wou dat ze er nog was. Nu begin ik mezelf heel erg zielig te voelen. Nog even en ik breek mijn belofte aan Bolle om vandaag niet te drinken.

Ik ga deze brief op de post doen en dan naar de buren. Daar valt altijd wel iets te lachen.

Dag lieve Sonia, ik denk veel aan je.
Ties

Lieve Ties,

Dank je wel voor je brief! Ik heb ruzie met Chrissie want ze zei (ze mocht je brief lezen): 'Hé, voor zijn kat kan hij wel goed zorgen!'
Ik vroeg wat ze daarmee bedoelde. (Terwijl de vlammen voor mijn ogen dansten.)
Ze zei: 'Niets! Gewoon, dat hij zo goed voor zijn kat zorgt.'
Laat ik de rest van ons 'gesprek' maar overslaan.

Oma heeft me nooit verteld dat jij nog bij haar kwam op het eind. Ze vond het zeker zielig (terwijl ik dat niet was!) dat je wel bij haar kwam en niet bij mij.
O, ik moet gaan. Therapie. Ik schijn twee begeleidsters te krijgen. (Babs en Bips.) Ik schrijf straks verder. Als je dan geen bal meer snapt van de brief, dan is hun therapie gelukt, dan ben ik al een ander geworden.
Tot zo!

Beste vader,

Het gelijkt me het beste voor ons beiden dat wij na deze brief van verder contact afzien.

Hoogachtend,
Sonia Overkamp

Nee hoor, grapje. Het viel best mee.
Zeven meisjes waren er, en dus die twee begeleidsters, Maria en Jill. Eerst moesten we vertellen waarom we er

zaten. Ik was echt zenuwachtig, daar baalde ik van. En verder had ik totáál geen zin, dus ik zei: 'Ik zit hier omdat het van Dakman moest.'

Toen zei het meisje naast me: 'Ja, ik moest ook van Dakman.'

En toen de volgende, en die daarnaast, iedereen: 'Het moest van Dakman.'

(Ik ben de enige van Unit B, de rest komt van buiten De Klepper. Niemand kent Dakman!)

Maar Jill en Maria lieten zich niet kisten.

'Nou, dan gaan we die Dakman maar eens tevreden stellen,' zei Jill, toen iedereen geweest was.

'Wie is eigenlijk Dakman?' fluisterde het meisje naast me. Ik zei: 'Dat is de baas hier.'

'Daar wil ik dan wel eens een hartig woordje mee spreken,' zei ze. 'Je weet wel, *spreken*!' en toen ging ze met haar tong heel langzaam langs haar lippen.

Hannah heet ze. Ze zit bomvol seks. Als je haar ziet, vermoed je het al, maar als je haar hoort praten, weet je het zeker.

Toen moesten we een kaartje trekken uit een gouden doos. ('Ik heb ook een gouden doos,' zei Hannah. Snap je? Zo is zij.)

'Vertel maar wat dat kaartje jou zegt,' zei Jill.

Ik had dit: *Doe wat je altijd gedaan hebt, en je zult zijn wat je altijd geweest bent.*

Ik zei meteen: 'Het zegt me niks.'

'Oké, dank je wel,' zei Maria.

Tsss!

Een meisje, Birka, is zo mager als een spinnetje. Heel ake-

51

lig, ik kan niet naar haar kijken. Ze heeft ook een donsje over haar hele lijf, zeker om haar warm te houden. Zij had: *Om beter te worden dan alle anderen, moet je ook beter worden dan jezelf.*

Ze zei: 'Het is niet toevallig dat ik deze kaart heb getrokken. Hij past namelijk precíes bij mij. Ik probeer altijd om nog beter dan perfect te zijn. Daar heb ik erg veel last van. Mijn hele leven is één grote prestatie.'

Wel knap dat ze het zo vertelde! Eigenlijk schaamde ik me ineens voor mijn eigen slappe antwoord. Dus ik zei snel: 'Mijn kaartje zégt me wel iets, maar ik weet alleen niet hoe ik het moet uitleggen!'

'Ik heb anders nog nooit zo'n duidelijk antwoord gehad,' zei Jill toen.

Bijdehante tante!

Hannah had natuurlijk iets met een eikel. Ik kreeg meteen de slappe lach toen ze haar kaartje voorlas: *Elke eikel kan uitgroeien tot een grote, machtige eikenboom.*

Ze zei: 'Vertel mij wat!'

Nou, zo ging het dus zo'n beetje. We hebben wel twee uur gepraat. Morgen krijgen we kleien, dat noemen ze creatieve therapie. Dat wordt wat, ik kan nog geen baksteen kleien. Hannah zei: 'Dan kan ik ~~iñgúñrúñkłôgúñúñúñôñôñ~~.

Sorry, te erg. Wat een gore griet is zij, zeg! Maar je kunt wel met haar lachen.

Als ik dit schrijf, heb je Bolle alweer bij je. Gelukkig, Ties! Ik stuur mijn geld met deze brief mee (130 euro) want operaties zijn zo duur en ik weet er toch niets mee te doen. Aannemen hoor!

Ik kan het niet laten steeds naar die stomme kaart met die spreuk te kijken. Het lijkt wel op wat oma altijd zei als ik iets eng vond: 'Je kunt maar beter op je krent blijven zitten, dan weet je tenminste zeker dat er niets gebeurt in je leven.'

Dag lieve Ties, ik denk ook heel veel aan jou en ik vertel je ook heel veel in mijn hoofd en je zegt steeds leuke dingen terug. Vroeger deed ik dat met oma, nadat ze dood was. En nu met jou.

Kusje voor Bolle op al zijn kussentjes en jij op je lieve klootzakkenkop.

Sonia, NOG ALTIJD DE OUWE!

Lieverd,

Het s eve flink shit hier
Jag zoen

Tiiiis Ties

Beste jufrouw Sonja,

Neem me niet kwalijk dat ik zomaar in uw vaders brief zit.
We vonden uw vader op de deurmat met deze brief in zijn hand.
Niet schrikken, hoor. Dat gebeurt wel vaker. De envelop lag nog op
tafel met uw adres erop.
Uw vader heeft het weer.
Dan drinkt hij een beetje te veel.
Nu komt het omdat zijn poes dood is. Bolle. Die kent u vast wel.
Bolle is gisteren onverwacht overleden.
We hebben uw vader in bed gestopt. We letten wel op hem. Als hij
weer beter is, zal hij u vast wel schrijven. U bent belangrijk voor
hem. Hij heeft het vaak over u.
Uw vader is een rare, maar hele lieve man.
Mijn man doet deze brief op de post.

Hoogachtend,
Suus Welten – Crommenakker (de buurvrouw)

P.S. Let niet op de taalfouten. Ik schrijf nooit brieven.

Ties! Ties!

Bolle is dood! Wat is er gebeurd? De dierenarts zei toch dat
het wel weer goed zou komen? Ik vind het zo erg voor je!
Je beste vriend naar de poezenhemel. Logisch dat je op de
mat ligt, hoor!
Ik weet niet wat ik moet schrijven.
Ik geef mijn knuffel-Bolle mee met Herma, je mag hem
hebben. Niet dat hij iets met jouw Bolle te maken heeft,
maar je kunt lekker in hem huilen.
Ties, ook af en toe water drinken tussendoor!
Als je wilt dat ik kom, sta ik zo bij je bed. Dan zorg ik voor
je.
Ik hou van jou en van Bolle.

Dag lieve Ties,
x Sonia

Dag lieve Ties,

(Be)sta je weer?
Hoe gaat het met je?
Als je hulp nodig hebt, kom ik. Ik kan goed verzorgen, dat zegt Chrissie ook. Als zij moet kotsen, ruim ik het altijd op en ik hou haar ook vast en zo. Ze vraagt de volgende dag altijd hoe ze deed. Ik kan haar namelijk precies nadoen. Zo kotst ze: 'BRRROEHAAARG!' en dan meteen: 'O, Sonnetje, wat is alles toch eigenlijk verschrikkelijk!' (Dan is ze zat, hoor!)

Dag lieve Ties,
kusje van zuster Sonia

Lieve Ties,

Herma zei dat het niet goed gaat. Logisch ook.
Ik weet niet wat ik moet schrijven. En dan stuur ik ook nog
van die domme kaarten. De voorkanten, bedoel ik. Ze zijn
gratis, vandaar. Deze is reclame voor shampoo. (Tegen
droog en futloos haar, ook dat nog.)
Ik ben blij dat je Arie en Suus hebt.
Mijn moeder heeft me een kaart geschreven. Het wordt
een jongen.
Ze schreef ook: *We denken veel aan je.*
Wé, jag! Kunnen orang-oetangs wel denken? Die doen
toch alles op instinct?

Dag, groeten van je droge, futloze dochter

Lieve Ties,

Wie stuurt er nou een kaart met condoomreclame naar haar eigen vader? Sorry, ik zie het nu pas. Ik neem die kaarten altijd mee uit de Joy, daar liggen ze in een rek. Ik hoop dat Arie en Suus je af en toe soep brengen.
Dit trok ik vandaag uit de gouden doos: *Als je gevoelens laat liggen, gaan ze gisten.*
Ik vind het zelf wel goed gaan, maar Jill en Maria zijn niet tevreden. Jill zei: 'Je speelt een spelletje met me, maar ik snap de regels niet.'
Kunnen die lui ook normaal praten?

Dag Ties, zacht kusje op je zere hart,
Sonia

Lieve Ties,

Vieze pad op de voorkant, hè? Reclame voor anti-wratten-middel.

Ik heb vandaag in de groep verteld dat Bolle dood is. (Nu al bijna twee weken!)

Hannah zei: 'Een kat! En je hebt hem niet eens gekend!'

Zij is zo'n bitch, dat heb ik haar meteen maar even duide-lijk gemaakt.

'Sonia, let toch eens op je taal!' riep Jill. 'Het is net alsof er allemaal lelijke, dikke padden uit je mond komen.'

Vandaar deze kaart. Ties, wil je alsjeblieft vitaminepillen slikken en veel water drinken? Sorry voor het gekriebel, maar anders past het er niet op.

Kusje van je eigen wrattenpad

Dag lieve Ties,

Herma vroeg of ik haar niet meer zo vaak wilde bellen.
'Hij komt er heus weer bovenop,' zei ze. 'Hij heeft wel
voor hetere vuren gestaan.'
Ze bedoelde natuurlijk oma. Misschien zit Bolle nu wel te
spinnen op oma's schoot. Zijn er twee hemels gefuseerd
wegens ruimtegebrek.
Ties, niet doodgaan. Ik heb je (een beetje) nodig.

S.

Lieve zuster Sonia,

Zie je nou wat voor slappeling je vader is? Je hebt echt niks aan me, Sonia.

Papa gaat een week aan de zuip omdat zijn poesie dood is. En daarna heeft hij een week nodig om op zoek te gaan naar zichzelf. En jij maar kaartjes sturen en kaartjes en kaartjes en kaartjes.

Je bent een grote lieverd. Ik heb mezelf teruggevonden dankzij die kaartjes van jou. In de nevel en mist van jenever en bier zag ik de vage beelden van afwasmiddelen, condooms, shampoo en wratten. Maar ik zag ook letters die met elkaar een dansje van lieve woorden uitvoerden.

De wratten werden mij gebracht door een dikke, vierkante, hoofdschuddende fee, genaamd Herma. 'Ties, Ties, wanneer doen we weer normaal? Hier, nóg een kaartje van je dochter. Je mag blij zijn met zo'n meid!'

Toen ze jouw knuffel-Bolle aan mij gaf, moest ik weer huilen.

'Allemaal jenever,' zou mijn Bolle hebben gezegd. Dat hij ruste in vrede.

Het is wonderlijk gegaan met Bolle. Ik schreef je in mijn vorige brief dat ik de dierenarts had gebeld en dat Bolle uit zijn narcose was ontwaakt.

Nadat ik de brief voor jou op de post had gedaan, wilde ik bij Arie en Suus langsgaan. Toen ik tussendoor nog even thuis was, belde de dierenarts. Het ging ineens niet goed met Bolle. Er was iets met zijn hartje. De hele operatie was kennelijk te veel voor hem geweest.

Ik ben meteen in mijn auto gestapt en prees Bolle en mezelf ge-

lukkig dat ik geen druppel had gedronken. Toen ik bij de dokter kwam, lag Bolle ~~liggenvrouweljningnhen~~ dood te gaan.
Ik heb Bolle in mijn armen genomen,
hem vastgehouden,
geknuffeld,
gezegd dat hij bij me moest blijven,
dat hij mijn vriend was,
dat ik niet thuis wilde komen zonder dat hij op me wachtte,
dat er iemand moest zijn die mij wakker maakte met zijn rasptong als ik op de deurmat lag,
dat ik hem niet kwijt wilde,
dat het leven zonder hem shit was.
Bolle keek me nog één keer aan.
Heel lang.
Ik dacht dat ík doodging, maar het was Bolle die ging. Zijn warme poezenlijf schokte even en toen was het afgelopen.
Ik heb daar een tijd gezeten. Langzaam werd Bolle koud. Ik heb hem nóg dichter tegen me aan gedrukt. Ik dacht: warmte warmte, door warmte wordt hij weer levend.
Na een half uurtje vroeg de dierenarts (lieve man, hij snapte dat hij me niet meteen buiten kon zetten): 'Wil je Bolle hier laten?'
Toen drong het pas echt tot me door.
Bolle was dood.
Ik heb hem mee naar huis genomen in een doos. (*Krokante Chips* stond erop, Bolle zou het wel geestig gevonden hebben.) Samen met Suus en Arie heb ik hem in mijn achtertuintje begraven onder de laurierstruik. Dat was zijn favoriete plekje.
Daarna ben ik gaan zuipen. In een diepe put gelazerd.
Ik moet je iets bekennen. Je stuurde € 130 voor de operatie. Die had ik niet nodig, want toen ik wist dat de operatie eraan kwam,

ben ik gaan sparen. (= Mijn geld niet naar de slijterij brengen.)
Ik had je die € 130 willen teruggeven, maar de helft is nu op. Jenever is tegenwoordig duur. Ik ga nu dus weer sparen. Niet voor
Bolle, maar voor jou.

Lieve Rafeloor, ik ben alleen, maar toch niet. Want jij bent er. Dat
is een goed gevoel. Misschien iets voor in de gouden doos: *De
diepte van de put hangt af van de hand die naar je wordt uitgestoken en de wil om die te pakken.*
Dat riekt wel een beetje naar de EO, maar zo hoort dat natuurlijk ook op die kaartjes van Babs en Bips.
Ik heb het in deze brief alleen maar over mezelf. Sorry. In mijn
volgende brief zullen we het over jou hebben.

Dikke knuffel,
Ties

Zondagavond, 19.10 uur.

Lieve Ties,

Welkom terug op aarde! Ik was zó blij met je brief!
Ik moet nu afwassen met Simone en daarna mogen de oudere meisjes (zoals ik dus) naar de film! We gaan naar *Apes on Earth*. (Over de familie van Stefan. Nee hoor, grapje, het is een sciencefictionfilm, geloof ik.)
Ik ga morgen uitgebreid schrijven hoe het met me gaat.
Goed, namelijk! Dag!

Maandagochtend, 9.30 uur.

Ties,

Ik zit volledig in de stront.
Ik schrijf je vanuit een gesloten kantoortje op Unit C. Het is helemaal fout gegaan. Nu heb ik het echt verknald.
Het begon gisterenavond. Ik mocht niet mee naar de film omdat ik Simone (terecht!!!) verrot had gescholden. Dus toen ben ik weggelopen, samen met Chrissie. Die mocht ook niet mee, want ze had geblowd op de wc tijdens het toetje. We zijn gaan liften naar de Joy, maar omdat we zo vroeg waren, zaten er alleen maar kleuters. (Jongens van dertien praten echt nog over Pokémon.)
Chrissie liep de hele tijd Berend Botje te zingen en als een jongen aan haar vroeg of ze met hem wilde dansen, riep ze: 'Ja hallo, ik ben geen pedo!'
Maar om een uur of twaalf kwamen er normale jongens en

Chrissie had meteen een Antilliaan beet. Toen zijn we met hun groepje naar het strand gegaan. Ik was met Bob, een rustige jongen met héél mooie tanden. Later bleek dat ze hem alleen maar zo noemden omdat hij nooit alcohol drinkt. Ik ben vergeten hoe hij echt heette. Hij was hartstikke lief en ik heb heel sociaal voor twee gedronken. Ze hebben ons om half vijf naar de slettenflet teruggebracht. Wij waren vergeten dat we eigenlijk waren weggelopen, dus belden we gewoon aan met onze zatte koppen.

Maarten had nachtdienst. Hij zei niets, hij deed zelfs heel aardig: 'Bedankt voor het thuisbrengen, jongens!'

Zo, weet je wel.

Verder herinner ik het me niet meer precies, maar we moesten wel gewoon om half acht op! Stelletje sadisten. Oei, wat was ik beroerd. Chrissie zat de hele tijd op de wc (BRRROEHAARG) en ik moest gewoon naar de kletsclub van Jill en Maria!

Ik zat chagrijnig in de kring. Jill zei: 'Recht zitten, Sonia! 's Avonds een vent, 's ochtends een vent!'

Ja hoor, stop die maar in je gouden doos, dacht ik.

Toen vertelde Maria een verhaal. Ik zat haast te pitten, maar ik hoorde het wel. Het ging over een vrouw, die had een puppy uit het water gered. Jill liet zelfs een foto zien, een labrador (je weet wel, zo'n blindengeleidehond), maar dan als babytje. Die vrouw nam hem mee naar huis om hem te verzorgen. Het hondje werd vreselijk aanhankelijk. Hij deed alles voor zijn vrouwtje omdat ze hem had gered. Maria vertelde wel een kwartier over dat hondje, Maxje heette hij. Ik was er helemaal verliefd op, ik had uren kunnen luisteren.

En toen vertelde ze ineens dat dat mens Maxje wegdeed!
Naar een asiel! Het was toch eigenlijk te druk, ze kon niet
goed genoeg voor hem zorgen. Ze moest hem te vaak alleen laten en zo.

Trut! Toch?

Toen gingen we een rollenspel doen. Maria speelde die
vrouw. Wie haar wel kon begrijpen moest naast haar gaan
zitten, en de anderen naast Jill.

Ik was zo woedend, dat ik Maria meteen ben aangevallen.
Ik vergat gewoon dat ze die vrouw alleen maar speelde. Ik
vind het nu ook heel stom hoor, en ik heb echt spijt. Ik heb
gekrijst en gekijfd, maar ook aan haar haren getrokken en
haar gezicht gekrabd en tegen haar benen getrapt.

Ze hebben me losgetrokken en weggesleept. Maria huilde,
dat zag ik nog. Ik schaam me rot.

Nu zit ik in een kantoortje. Jill zei: 'Schrijf het maar op, ik
kom over een uur bij je terug.'

Shit, Ties! Dit wilde ik echt niet. Maria is best aardig en ik
weet heus wel dat het maar een rollenspel was. Nu moet ik
zeker weg, want geweld is hun grens. Ik ga echt niet naar
mama en die chimp. Dat willen ze trouwens ook helemaal
niet.

Dus dat wordt Harsholt. Of misschien kan ik Bob gaan zoeken. Ik vind het echt erg voor Maria, dat moet je geloven.
Wat een zooitje, zeg!

Ik stuur deze brief ook mooi niet op, jij hebt wel wat anders aan je kop. Een andere straatkat, om precies te zijn.
Bolle, om nog preciezer te zijn. Jij zorgt tenminste goed
voor je dieren. Wie zijn hond zomaar wegdoet, verdient
zware lijfstraf!

En nu ik toch besloten heb deze brief niet op te sturen, kan ik ook het volgende vertellen: ik ben blij dat Bolle dood is! Oooh!

Maar het is wel zo. Ik was pestpokkejaloers op hem. Hij mocht wel lekker bij jou wonen en ik niet!

Ziezo. Nu ga ik dit vel papier maar eens opeten, want het mag in geen geval gebeuren dat

10.05 uur

Jill kwam net langs. Ik vroeg hoe het met Maria ging.

'Nou, wat denk je?' vroeg ze.

'Slecht,' zei ik.

Ze knikte.

Ik zei: 'Ik viel eigenlijk dat mens aan dat Maxje zomaar wegdeed, eerlijk waar!'

Zij weer knikken.

Eigenlijk moest ik huilen, er zat zo'n warme prop tegen mijn keel aan te duwen. Ik dacht: als ze nu weggaat, kan ik het nog net inhouden. Maar ze bleef me gewoon aankijken.

'Ik word zeker weggestuurd,' zei ik.

'Omdat je eindelijk een keer meegedaan hebt?' vroeg ze verbaasd. 'Omdat je nu eens geen flauwe geintjes maakte? Maar gewoon woedend was omdat die vrouw haar hondje wegdeed? Terwijl hij volkomen afhankelijk van haar was? Zomaar weg, huppekee, omdat ze er geen zin meer in had? Sorry schat, baasje heeft het even verkeerd ingeschat. Hondje in huis, hondje uit huis, zo makkelijk gaat dat!'

Ik zat meteen weer op de kast. Ik moest janken, zeg! 'Ja,

vuile egoïst! Neem dan geen hondje, begin er dan niet
aan!'
'Precies, je zet toch ook niet zomaar je kind op straat?'
vroeg ze boos.
Ik dacht: ho ho, mevrouwtje, die Babs-trucjes, daar trap-
pen we niet in. Maar terwíjl ik dat dacht, riep ik: 'Precies,
vuile slappe zak!' en ik dacht eerlijk gezegd aan jou.
Ik trilde helemaal. En Jill had ook tranen in haar ogen, zag
ik ineens.
'Schrijf het hem,' zei ze. 'Je bent bang voor hem, bang dat
hij zich bewusteloos drinkt als het moeilijk wordt, bang
dat hij 'm weer smeert. Maar zal ik jou eens wat vertellen?
Als hij dat doet, is hij geen knip voor zijn neus waard. Dan
kan hij ook maar het beste zo snel mogelijk echt uit jouw
leven verdwijnen. Wat heb je aan al die zoete broodjes?' Ze
tikte met haar nagel op dit vel. 'Nu meteen,' zei ze. 'Je bent
toch zo gek op hem? Hij moet maar eens laten zien dat hij
het waard is. Dat hij geen slappe zak is.'
'Er sprong een pad uit je mond,' zei ik.
Ze schudde haar hoofd. 'Geen grapjes. Je bent het verplicht, aan jezelf. Als je ooit wat met hem wilt, als je ooit
wat met je leven wilt, moet je dit nu doen.'
En weg was ze.

TIES OVERKAMP, WAAROM HEB JE ME ~~WAAROM~~
~~WAAROM~~ IN DE STEEK GELATEN?

IK BEN NIET UIT DE LUCHT KOMEN VALLEN, JE HEBT ME ZELF GEMAAKT.
WAAROM KON JE BOLLE VERZORGEN ALSOF HIJ EEN OOSTERSE PRINSES WAS, TERWIJL JE JE EIGEN DOCHTER ZOMAAR DOOR HET AFVOERPUTJE HEBT GESPOELD?
~~AKOERNWIE~~ !!!!!

Ik stuur gewoon de hele brief op. Je kan me wat. Als je van me houdt, schrijf je terug. Als ik niets meer van je hoor, weet ik genoeg.

Sonia

Stomme, lieve trut,

Als je soms van plan bent om mij door het afvoerputje te spoelen: DAT GAAT MOOI NIET DOOR!

Jij hebt míj de eerste brief gestuurd. Jij bent begonnen! Weet je nog: 'Beste meneer Overkamp. Sinds ik weet dat u bestaat, moet ik alsmaar aan u denken.'

Ik heb nog (tegen beter weten in) mijn best gedaan de deur dicht te houden, maar dat lukte niet meer. Jouw hart en het mijne zaten er al tussen voor we het zelf in de gaten hadden.

Ik ben je vader en ik blijf je vader en daarom ben ik nu ontzettend boos op je. Natuurlijk was Bolle belangrijk voor me. Ik heb die kat tien jaar gehad. Ik heb hem uit het asiel gehaald!

Hallo, ben je daar nog: úít het asiel.

En nu wil jij er ook uit!

Dat zal gebeuren, maar wel op het moment waarop we er alle twee aan toe zijn. Snap je dat, stomme, jaloerse lieve lieve dochter van me of vind je dit ook Babs- en Bipsgezwam?

Natuurlijk heb ik allang nagedacht over ons. Natuurlijk kunnen we niet eeuwig doorgaan met brieven schrijven. Natuurlijk moet (en zal) er een dag komen waarop we elkaar voor het eerst recht in de ogen kijken. (Ik zal zorgen voor fijne romantische vioolmuziek op de achtergrond: dochter ontmoet eindelijk vader.)

Maar voor het zover is, hebben we alle twee nog iets te regelen met onzélf. Jij daar in die Klepper en ik hier.

Natuurlijk is het bij jou regelmatig ellende, maar ik zou maar wat meer vertrouwen hebben in Bips en Babs. Je hebt een van de twee in elkaar getrimd en je hoeft níét weg. Dringt het tot je door?!

Doe zélf ook eens wat moeite, Sonia. Probeer eens een keer die grote mond van je te houden. Ik bedoel tegen de mensen die het wél goed met je voorhebben. En begin niet meteen iedereen uit te schelden als iets je niet aanstaat. En misschien kun je ook eens een keer 'sorry' tegen iemand zeggen.

En ondertussen moet jouw vader ook nog een paar dingen uitvechten met zichzelf. Als hij eindelijk een baantje heeft, verprutst hij het meteen weer met zijn grote mond. En als hij jenever ruikt, gaat hij kwijlen en het hoeft maar even tegen te zitten of de bodem is snel in zicht. Hup, volgende fles. Lijkt je dat wat? Zit jij straks in ons huisje terwijl paps op de mat zijn roes uitslaapt? Het ging eigenlijk hartstikke goed de laatste tijd. Weken niet gedronken. Weet je waarom? Omdat ik dacht: op een dag zal mijn dochter hier op de stoep staan en dan wil ik niet naar de jenever stinken. ('Dag pap!' 'Dag... walm... lieve... dochter... walm... van me... walmwalmwalm.')

En toen ging Bolle dood en heb ik even flink ingenomen. Slap natuurlijk, heel slap. Ik kan me wel voor mijn kop slaan, maar ik was er zelf bij (tot op zekere hoogte). Maar jij sliert toch ook rond in de Joy of op het strand omdat het je soms te veel wordt? Dat bedoel ik dus: we moeten nog iets voor onszelf uitzoeken.

Niet meteen dwarsliggen, niet meteen een grote mond of aan de drank of aan de zwier of erop meppen als het ons eens tegenzit.

Trouwens, hoe stel je je dat eigenlijk voor? Wij hier samen in huis (ik ben bezig om hier eindelijk de hele zooi eens op te ruimen) en leuk gezinnetje spelen? Wil je dat?

We krijgen dan natuurlijk nooit heibel met elkaar. Jij zegt de hele dag: 'Ja pap, natuurlijk pap, zoals je wilt, pap.'

En ik roep alsmaar: 'Ga maar lekker je gang, kind. Fijn 's nachts laat thuiskomen, rotzooien met Bob en Boy. Schelden tegen de buren. Doe maar. Vindt pap hartstikke leuk.'

Dat wordt dus knallende ruzie en jij vertrekt woedend naar de Joy of het strand en ik ontkurk onmiddellijk een fles.

Maar als het zover is en ik je uit het asiel heb gehaald, dan kan ik je niet meer terugbrengen. Dan wíl ik je ook niet meer terugbrengen, al vechten we elkaar hier de tent uit. Dáárom moeten we eerst nog even heel hard ons best doen. Jij in De Klepper en ik hier. En ondertussen mag je zo veel op me schelden als je maar wilt.

Ik héb je jarenlang laten barsten.

MAAR DAT DOE IK NU NIET MEER!

Heel veel liefs,
Ties

Ja Ties, hoor eens, ben ík begonnen? Nou wordt-ie mooi! Jíj bent begonnen. Jij hebt mij toch zeker gemaakt?

Ik vraag niet of ik nu bij je mag komen wonen. IK VRAAG WAAROM JE BENT WEGGEGAAN!

En waarom je niets meer hebt laten horen. Ik dacht heus niet: jammer, maar weg is weg en zand erover! God werd helemaal kierewiet van mij, zo vaak heb ik gevraagd of hij je terug wilde sturen.

Elk jaar was ik voor mijn verjaardag misselijk van de zenuwen. Niet vanwege de kadootjes, maar omdat ik dacht dat jij als grote verrassing uit de taart zou springen. Nou ja, voor de deur zou staan. Toen ik klein was, zag ik de vader van Pippi Langkous voor me als ik aan jou dacht. Ik wist van mama wel dat je aan de drank was, maar ik dacht dat dat door ons kwam. Dus dat dat wel weer over zou zijn nu je weg was.

Mama zei: 'Ik hoopte dat hij kon veranderen, maar dat was een vergissing. Mensen veranderen niet. Vergeet die man toch!'

Ik heb ook een tijdje gedaan alsof je dood was. Dan zei ik tegen mensen dat je als brandweerman om het leven was gekomen. De reacties waren dan wel leuk, maar als droom was het niks, want dood blijft natuurlijk dood.

Toen ik naar De Klepper moest, hoopte ik weer dat je me zou komen halen. Zo fantaseerde ik:

'Sonia, beneden komen, er is iemand voor je!'

'Wie dan?'

'Kom nou maar gauw naar het kantoortje!'

En daar zat jij dan. Soms was je Al Pacino. Soms was je Maarten. Die had dan ontdekt dat hij mijn vader was.

(Toen ik hier net zat, was ik verliefd op hem.) Of de uit-
smijter van de Joy. (Die heeft een keer tegen mij gezegd:
'Meiske, doe jij een beetje rustig aan met die drank?' Heel
lief en bezorgd, dus hupla, mijn droom in!)
En ineens kwam je echt. Een dronken groenteman in een
envelopje. En denk je dat ik teleurgesteld was na al dat ge-
droom?
Niet dus, ik was nog blijer dan in al die fantasieën bij elkaar. Ik was bijna dichtgevroren, maar eindelijk smolt het
ijs, gigantische gletsjers, de hele noordpool, alles ging
schuiven en bewegen. Ik weet nu dat ik al die tijd ijskoud
op je gewacht heb.
Waarom heb je gedaan alsof ik niet bestond? Wat was er
nou tien jaar lang zo moeilijk aan een kaartje schrijven?

S.

Ties,

Ik wil het niet meer zo. Het kan ook niet. Iedereen wordt gek of verdrietig van me. Ik ben mezelf zo zat.
Je hoeft de vorige brief niet te beantwoorden. Bah, zielig-doenerij en aanstelleritis. En het spijt me wat ik over Bolle heb gezegd. Het klopt niet, ik vind het heel erg dat hij dood is. Eerlijk waar.
Ik lig in bed, daarom schrijf ik zo slordig. Dank je wel voor je brief. Je bent heel erg lief. En je hebt gelijk, we hebben nog zoveel uit te zoeken. Ik word al bekaf als ik er alleen maar aan denk.
Ik wil niet meer de ouwe Sonia zijn, ik wil veranderen, maar waar moet ik in hemelsnaam beginnen?
Mijn grote mond dichtnaaien.
Ik heb mama geschreven en haar en Stefan gefeliciteerd. Ik meende het nog ook. En ik heb Maria geschreven dat het me spijt. En nu heb ik de foto van die puppy van haar ge-kregen. Ik moet er steeds naar kijken.
Ik ben zo moe. Ik ga maar weer even slapen.
Dag Ties, dank je wel dat je bij me bent gebleven.

Groeten van S. de oorwurm. (Bèh, ik kan mijn eigen naam niet meer zien.)

Lieverd,

Goed van je, dat je je moeder feliciteerde en Maria excuses hebt gemaakt. Soms moet je dat soort dingen gewoon doen. Zélfs ik doe het (wel eens). Je hebt andere mensen nodig, of je wilt of niet.

Toen ik hier net woonde, had ik vaak heibel met Suus en Arie. Ik smeet al mijn vuilniszakken achter in mijn tuintje, want ik was te beroerd om ze op tijd op de stoep te zetten. Suus en Arie klaagden regelmatig over de stank. Ik draaide ook altijd veel te harde muziek en als Suus kwam klagen, smeet ik de deur voor haar neus dicht.

Tot Suus me voor mijn deur vond, op de stoep. Ze liet haar hondje uit. Ik had weer eens te veel gezopen. Het was midden in de nacht. Ik lag er al zeker een uur en het vroor een graad of tien.

'Ben u niet lekker, buurman?'

'Ach mens, sodemieter op!'

'Dat doe ik niet.'

'Rot op!'

'Maar u siet helemaal blauw. Je ken een mens toch niet somaar in de kou laten leggen. Heb u een sleutel?'

Ik was inmiddels half bewusteloos. Samen met Arie heeft Suus me naar binnen gesleept en op de bank gelegd. Ik werd de volgende dag wakker met drie kruiken, een paar dekens over me heen en een kotsemmer naast de bank.

Als in een film zag ik mezelf op de stoep liggen en voelde weer de bijtende kou. Ineens besefte ik dat als Suus en Arie me niet hadden opgeraapt, ik waarschijnlijk domweg doodgevroren was. Die middag kwam Suus langs en heb ik mijn excuses gemaakt

76

voor alle overlast die ik veroorzaakte. Vanaf dat moment werden we goede buren. Ik ruim nu mijn vuilniszakken op en draai alleen harde muziek als ik het echt moeilijk heb. Dat mag van Arie en Suus. (Dan 'sette ze hun gehoorapparaten wat lager, want buurman héb het weer.')

Dit lijkt wel een kerstverhaal, daarom nu de moraal: goede vrienden zijn belangrijk, maar helaas ook schaars. De echte vrienden die je hebt, moet je koesteren en geen pijn doen. Dat heb ik (eindelijk) geleerd.

Sonia, jij bent inmiddels een héél goede vriend van me geworden. Daarom vind ik het zo moeilijk om eerlijk antwoord te geven op jouw vraag: WAAROM BEN JE WEGGEGAAN?

Als ik het je vertel, moet ik je pijn doen. Je zult me vast gaan haten en dat wil ik niet. Maar als je de waarheid wilt weten, zal ik eerlijk zijn. Onder één voorwaarde: dat je, hoe moeilijk het ook voor je is, het contact met mij NIET verbreekt. Omdat je beseft dat we inmiddels tien jaar verder zijn en ik van je ben gaan houden, om wie je nú bent.

Jij mag het zeggen, Sonia.

Veel liefs,
Ties

Hallo lieve Ties!

Sorry dat ik zo lang niets heb laten horen! Ik ben namelijk ziek geweest. Wat was ik beroerd, zeg! Uit al mijn gaten kwam vocht. Fris is anders. Het heeft zeven dagen geduurd. Ik ben nu net zo mager als Birka, je weet wel, dat spinnetje van de kletsclub.
Zij is bij me op bezoek geweest. Ze kwam op de rand van mijn bed zitten en we hebben gepraat, gepraat en nog meer gepraat. Ik heb jouw brieven laten lezen (mag dat wel?) en ze zei dat ze jou heel lief vond. Tenminste, dat bedoelde ze volgens mij. Zo praat zij: 'Jouw vader kent heel veel liefde.'
Pfff, niet helemaal mijn type, zal ik maar zeggen! Maar ze is wel aardig. Ze is daarna elke dag bij me geweest. Ik vond het best, ze neemt toch haast geen plek in. Nee hoor, grapje, ik vind het fijn als ze er is. En als we niet uitkijken, gaat ze vandaag of morgen nog lachen ook!
Weet je wat ze vertelde? Haar tic is dat ze alles wil beheersen. Ze telt elke calorie die ze binnenkrijgt. Ze telt haar voetstappen, haar ademhaling, de uren die ze slaapt. Op school haalde ze tienen. Als ze een keer een negen had, kreeg ze straf. Van zichzelf, dus.
'Ik wil alles bepalen. Ik ben een vis die tegen de stroom op zwemt,' zei ze. 'En op therapie leer ik nu om mezelf wat meer te laten meedrijven.'
(Therapie, dat is de kletsclub.)
Ik zei: 'Ik kan nog iets van je opsteken. Ik moet juist leren om mezelf wat méér te beheersen.'
'Dat komt omdat je lief bent voor jezelf,' zei ze.

Tja, zo kun je het ook bekijken.

Chrissie kwam ook elke dag. Ze gaan een fulltime pleeggezin voor haar zoeken. Ik schrok me rot, maar ze zei: 'Ze vinden toch geen plek. Niemand wil me. De mensen denken allemaal dat ze een criminele hoer in huis halen met een meisje uit de slettenflat.'

Ik vond haar ineens zo lief. Ik zei: 'De mensen die jou in huis krijgen, hebben mazzel.'

'Kun jij even normaal blijven doen?' antwoordde ze.

Gelukkig maar, met Chrissie in mijn buurt word ik nooit een softie. Je hebt gelijk, Ties, vrienden zijn zó belangrijk. Weet je wie er ook geweest is? Mama! Met King Kong, natuurlijk. Eigenlijk was het vreselijk. Ik deed echt mijn best, maar al na tien minuten was ik één groot haatblok.

En mama maar kletsen. Dat ze helemaal niet misselijk was. (Toen ze zwanger was van mij wel, natuurlijk.) En dat ze nu al aan de babykamer waren begonnen, lekker op tijd. En raad eens? Ze nemen babyblauw als basiskleur! Schattig toch? En Stefan gaat gezellig mee naar zwangerschapsgym. En mijn nieuwe broertje dit en mijn nieuwe broertje dat.

Ondertussen zat Monkey maar een beetje naar buiten te kijken, die zocht waarschijnlijk vast een lekkere boom voor daarna.

Ik lag helemaal te tollen van al het schelden en kijven dat ik inhield. JA, INHIELD!

Ze moesten al snel weer weg. Helaas, maar niet heus.

Gek genoeg wilde ik vreselijk graag dat mama meteen weer terugkwam. Alleen. En dat ze bij me zou komen liggen en dan zou zeggen: 'Sorry Son, wat zat ik nou toch uit

mijn nek te kletsen? Ik wil gewoon zeggen dat ik van je hou. Dat dat nieuwe kindje heus niet in jouw plaats komt. Dat kan namelijk niet! Want jij blijft mijn grote, mooie dochter.'
Nou, kun je gelijk zien hoe ziek ik was, dat ik dáárop hoopte.

Wat zit je nu te doen, Sonia?
Ik? O, ik zit om de hete brij heen te draaien.

Ties, ik vind je vorige brief zo moeilijk! Kijk, heel eerlijk gezegd heb ik een klein flintertje hoop in mijn buik. Omdat jij schreef: '*Dáárom moeten we eerst nog even heel hard ons best doen. Jij in De Klepper en ik hier.*' Ik hoopte natuurlijk op het vervolg: ... *maar daarna mag je bij mij wonen.*
Maar nu ben ik ineens zo bang voor wat je te vertellen hebt.
Maarten vroeg: 'Wat is het allerergste antwoord? Wanneer zou je het kwaadst zijn?'

Dat je in de bak hebt gezeten- niet kwaad.
Een andere vrouw- niet erg kwaad.
Ergens anders nog een dochter- beetje kwaad (jaloers).
Dat je geestelijk gestoord was- niet kwaad.
Dat je een te grote hekel aan mijn moeder had- beetje kwaad.
Dat je een te grote hekel aan mij had- heeeel erg kwaad.

'Kwaad of verdrietig?' vroeg Maarten.
'Ehm, verdrietig.'

'Aha, dat betekent dus: uitschelden, omdraaien en weg-wezen,' zei Maarten.
'Zo was ik vroeger,' zei ik. 'Nu niet meer.'
'Dus?' vroeg hij.

Dus Ties: ik beloof je met mijn hand op mijn gloeiende hart dat ik zal blijven schrijven, ook als ik je haat. Haten is beter dan niks. Van niks vries je dood.
Kom maar op, ik wil het nu eindelijk wel eens weten. Ik ben zo teringveel van je gaan houden, ik laat je echt niet meer gaan.

In zwetende afwachting,
Sonia

Lieve dochter van me!

Ik ben blij met je brief! Toen ik een tijdje niks van je hoorde, begon ik me ongerust te maken. Door het afvalputje, dacht ik. Ze heeft me doorgespoeld. Dus toch! En gelijk heeft ze, de trut. Maar gelukkig viel jouw brief gisteren op de mat. Als de brievenbus kleppert, moet ik nog steeds aan Bolle denken. Meestal sjokte hij richting voordeur om even te kijken wat er voor post was. (Het kan natuurlijk ook zijn dat hij de post verwarde met het baasje dat af en toe met een dronken kop op de deurmat neerplofte.)

Ik had het de afgelopen tijd druk met buurvrouw Suus. Die heeft ook een week in bed gelegen met een flinke griep. Haar man Arie was helemaal het spoor bijster. Suus is de kapitein op het schip en Arie de dekzwabber.

Ik heb boodschappen gedaan, om de dag gekookt voor Arie en het huis een beetje bijgehouden. Suus is nogal proper, dus Ties aan de slag met stofzuiger en dweil. Suus was flink ziek, maar bemoeizucht is zelfs met een flinke griep niet klein te krijgen.

Suus van boven uit haar bed, hoestend en rochelend: 'Ties, haal je meteen effe een dweiltje door de wc en vergeet je de keuken niet? En as je toch bezig ben: de tegeltjes in de badkamer kenne ook wel een sopje gebruiken! En geen zout in het eten van Arie. Dat mag ie niet!'

Toen Suus mijn zuurkool proefde (toen ze wat begon op te knappen), zei ze: 'Lekker buurman, dat had ik niet van je verwacht. En die badkamer glimt me ook al tegemoet!'

Ik glom ook, maar dan van trots. Alsof ik op school van de juf een complimentje kreeg. Ik vroeg bijna: 'Mag ik nou een plaatje?' Suus is inmiddels helemaal opgeknapt en ik heb tijdens mijn dienstje van een week nauwelijks gedronken. Ik kon nu eindelijk écht iets terugdoen voor die lieverds.

Nadat Suus weer op de been was, ging ik meteen aan de drank. Maar toen kwam jouw brief. Ik dacht nog: als dit zo doorgaat, raak ik helemaal van de drank af. Ik ben naar bed gegaan, heb mijn roesje uitgeslapen en jouw brief gelezen.

Je wilt dus écht weten waarom ik ben weggegaan bij jou en je moeder.

Voor ik begin met mijn verhaal ('papa vertelt') twee dingen:

Ding 1.

Je leest deze brief uit tot het einde, want het wordt een lang en heftig verhaal. Als het nou toch moet, dan ook maar meteen de hele shit. Als je me daarna haat, mag je deze brief ritueel verbranden en mij voorgoed uit je leven verbannen.

Ding 2.

Ik zal proberen je moeder gewoon bij haar naam te noemen. Het valt me bij gescheiden mannen altijd op dat hun ex ineens geen naam meer heeft. Ze heet meestal 'dat mens' , 'je moeder' of 'dat wijf'. Ik heb dat ook jaren gedaan. Laat ik haar deze keer maar weer gewoon Jenny noemen. Voor het gemak.

Goed, daar gaan we. Hou je vast. Zakdoeken bij de hand, evenals bloempotten, vazen en borden voor het smijtwerk.

Ik draai er ook omheen.
Net als jij om de vraag
draai ik om het antwoord.

Jenny en ik hebben elkaar voor het eerst ontmoet op Pinkpop. Het is inmiddels al een jaar of zestien geleden en ik herinner me vooral de regen. Alsof we speciaal naar Pinkpop waren afgereisd om de hele dag onder de douche te staan.

Ik ging erheen met mijn beste vriend, die net zo wazig was als ik. We vertrokken met de trein naar Geleen, want daar in de buurt was het al jaren te doen. Wisten wij veel dat het deze keer ergens anders werd gehouden. In Baarlo, een plaatsje in Noord-Limburg. Even niet opgelet. Er was ruzie met de gemeente Geleen over geluidsoverlast en de rotzooi van de jaren daarvoor.

Die vriend haakte af toen hij op het station in Geleen ontdekte dat we verkeerd zaten. Ik was woedend op hem, maar gaf niet op (sóms, héél soms heb ik dat) en ging met een verkrampte kop op weg naar Baarlo.

Ik kwam 's avonds aan en vond met moeite een plekje voor mijn tent op het veld naast het festivalterrein. Ik had geen puf meer om naar het optreden van een band te gaan kijken. Dat doe ik morgen wel, dacht ik. En ondertussen regende en regende en regende het. Wat voelde ik me ellendig. In de steek gelaten door mijn beste vriend en bezig in de stromende regen een tent op te zetten.

En toen... tátárátááá... daar was Jenny! Ik was net klaar met de tent, toen ze langsliep. Druipend van de regen én de tranen, want ze huilde. Wat zag ze er belabberd uit! Niet het meisje op wie ik verwachtte diezelfde nacht verliefd te worden. (Sonia, het is wel raar om dit op te schrijven. Ik ben dus -lang geleden- echt verliefd geweest op Jenny. Nu kan ik me dat niet meer voorstellen, maar ik wil eerlijk zijn tegenover jou.)

Zielig tafereeltje dus:

Een verdrietig meisje,
door- en doornat
op blote voeten
schuifelend door de modder.

Ik liep naar haar toe en sprak de orginele tekst: 'Kan ik iets voor je betekenen?'

Antwoord: 'Ja hoor, opzouten.'

Dit had mij moeten waarschuwen, maar dat deed het niet. Het meisje had me aangekeken, met die prachtige ogen. Daar kon je in wegdromen, maar ook aan kapot gaan.

Ik zei: 'Luister, jij loopt hier te huilen in de regen. Kennelijk heb je een probleem. Ik ben alleen, want mijn beste vriend heeft me laten zitten. Maar ik heb nu wel een tweepersoons tent. Jij kunt er dus nog bij en ik zal je met geen vinger aanraken. Zo niet, dan huil je maar lustig verder.'

Jenny keek mij aan en dacht vermoedelijk iets van: die jandoedel kan ik wel vertrouwen. Ze kroop mijn tent in, dook in mijn slaapzak en viel als een blok in slaap. Ik heb uren naar haar zitten kijken en viel als een blok voor háár.

Midden in de nacht werd ze wakker. Ik had inmiddels voor mezelf, zo goed en zo kwaad als het ging, een bed gemaakt en wat kleren over me heen gelegd. Ik deed geen oog dicht, verrekte van de kou en kon mijn ogen niet afhouden van dat mooie, lieve meisje.

Toen ze wakker werd, heb ik koffie gemaakt en hebben we uren zitten praten. Ze vertelde dat het vriendje met wie ze gekomen was haar gedumpt had voor een ander. Na de koffie deden we ons te goed aan de fles whisky. We zijn in elkaars armen in slaap gevallen, zonder dat we gevreeën of zelfs maar gezoend hadden. Het was gewoon prettig om bij elkaar te liggen. Twee eenzame mensen op Pinkpop.

De volgende dag hebben we nauwelijks iets meegekregen van

het festival. We zijn even naar Iggy Pop (zegt je dat iets?) gaan kijken. Ik herinner me vaag een springerige jongen met een ontbloot bovenlijf.

Voor de rest zijn we in de tent gebleven. De regen tikkend op het doek en wij aan het vrijen. Rustig, wild, lief, zachtjes, woest, kalm, teder, overmoedig, innig. En tussendoor praten, stil bij elkaar zitten, stickie roken, koffie en restjes whisky drinken en wat eten.

We waren daar op Pinkpop, in dat tentje in de regen, hartstikke gelukkig. Als ik er nu aan terugdenk, ben ik nog steeds verliefd op die Jenny van toen.

Daarna ging het snel. Ik woonde in een flatje van een oom die voor een jaar naar het buitenland was vertrokken. Jenny trok bij me in. We deden krampachtig ons best om onze roze droom in stand te houden. Alle twee kindjes van gescheiden ouders, dus wij zouden wel eens laten zien dat het anders kon.

Al snel kwamen daarom de eerste leugens. Van mij en van haar. Ik maakte goede sier met 'ons flatje' en vertelde niets over die oom. Verder verborg ik op listige wijze mijn drankprobleem. Ik kon heel lang 'gewoon' doen, terwijl ik al stiekem een kwart litertje naar binnen had geslobberd in de gangkast of op het balkon. 's Avonds lustte Jenny er ook wel pap van, dus kon ik de laatste uren van de dag in het openbaar drinken.

Jenny verzweeg dat ze twee jaar had samengewoond met haar vorige vriend. (Dezelfde vent die haar had laten zitten op Pinkpop.) En dat ze daarvoor al vele andere minnaars had gehad. Ze stapte gewoon van het ene bed in het andere. Verder had ze regelmatig ongelooflijke vreetbuien. Daar kwam ik al snel achter omdat de ijskast wel erg vlug leeg was. Na zo'n vreetaanval was ze ontroostbaar omdat de weegschaal volgens haar een kilo te veel aanwees. (Dat viel trouwens reuze mee. Jenny is altijd een mooi mens geweest. Is ze nog trouwens? Ik zag haar laatst lopen op een braderie waar ik poppenkast speelde. Toen ik haar begluurde door het gaatje in de kast, schrok ik. Bij haar vergeleken, ben ik langzamerhand een bouwval geworden. Ik val binnenkort onder monumentenzorg.)

Niet erg allemaal, die goedbedoelde leugentjes, maar wel prettig als we het elkaar vooraf even gemeld hadden. Nu werd het steeds meer het toneelstuk 'Geluk van bordkarton'. Maar we vóélden ons wel gelukkig, Sonia.

Ik deed mijn best om uit de gangkast te blijven en maakte zelfs plannen om weer te gaan studeren. (Wist je dat je pa nog een blauwe maandag voor leraar Nederlands heeft gestudeerd?)

Jenny deed haar best om uit de ijskast te blijven en ging op zoek naar een baantje. Dat lukte een paar keer, maar na een paar dagen hield ze er telkens weer mee op. Ruzie met collega's, geen zin of gewoon: 'Ties, ik wil bij jou zijn!'

'En ik bij jou,' antwoordde ik dan. We meenden het alle twee. Maar zo bleef het bij proberen, zoeken en plannen maken.

En toen zei Jenny op een dag: 'Ik ben in verwachting!'

Ik schrok me echt kapot, want we hadden met elkaar afgesproken voorlopig niet aan kinderen te beginnen. En eerlijk gezegd wilde ik ook helemaal geen kinderen de wereld in schoppen. Zo vreselijk leuk is het hier nou ook weer niet. En verder zag ik mezelf niet rondspringen als een leuke, gezellige, pedagogisch verantwoorde paps.

Jenny had een paar dagen de pil vergeten. ('Echt waar, Ties. Het is een ongelukje.')

Ik wilde meteen een abortus. Daar had je toen ook al prima regelingen voor. Maar Jenny hield voet bij stuk en dan kan ze drammen, dat weet je vast wel. Ze zei dat ze altijd graag kinderen had gewild en ze het zichzelf nooit zou vergeven 'als ze dit kindje weg liet halen'. Maar ze wilde míj ook niet aborteren, dus 'moesten we hier toch samen uit kunnen komen'.

We kregen dagelijks knallende ruzies en het decor van ons toneelstuk begon langzaam om te vallen. Ik bezocht regelmatig de meterkast en zij de ijskast. We probeerden het steeds weer goed te maken, vreeën met elkaar, maar over abortus viel niet te praten. Die baby moest en zou er komen. Ik zag ineens een andere Jenny (en zij natuurlijk een andere Ties). Ik zal je de rest besparen.

Na een paar weken was Jenny zover dat er van abortus geen sprake meer kon zijn. Er was geen ontkomen meer aan: Sonia, jij zou geboren worden.

Ik was wanhopig. Hoe dikker die buik werd, hoe meer ik in het nauw werd gedreven. Ik trapte opnieuw ruzie, zette openlijk de fles aan de mond, wilde weg, maar had de moed niet.

Vraag me niet hoe we de maanden daarna zijn doorgekomen. Zij verzamelde babykleertjes in tweedehands winkeltjes en ik zocht wanhopig naar een ander huis, want tegen de tijd dat jij geboren zou worden, zou mijn oom op de stoep staan. Tussen Jenny en mij was er een gewapende vrede. Zij keerde zich van mij af 'omdat ik het kind toch niet wilde' en ik beschuldigde haar ervan dat ze expres de pil was vergeten. Op een avond gaf ze dat toe. Ik weet nog steeds niet of het echt zo was of dat Jenny het zei om mij te kwetsen.

Je bent 's morgens om half vijf geboren in het ziekenhuis. Ik mocht van Jenny niet bij de bevalling zijn.

Toen ik haar en jou een paar uur later opzocht, kon ik bijna niet op mijn benen staan van de ellende en de drank. Ik had de hele nacht zitten zuipen. Ik kwam de ziekenhuiskamer binnen met een bos bloemen en viel languit op de grond voor jouw wiegje. Jenny begon te gillen.

Een potige verpleger nam mij in de houdgreep en heeft mij het ziekenhuis uitgezet. Ik heb de rest van de dag geen druppel meer gedronken en mijn roes uitgeslapen, want ik wilde jou zien (dat was dus de eerste keer dat ik voor jou de fles liet staan).

De volgende morgen heb ik mezelf opgedoft en ben ik kaars-recht het ziekenhuis binnengewandeld. Jenny was stomverbaasd en zelfs blij. Ik mocht jou zowaar even vasthouden en ik weet nog dat ik dacht: Jij kunt er ook niks aan doen, meisje. Dus moe-ten we zorgen dat je fatsoenlijk groot wordt en ook nog een beetje gelukkig.

Toen Jenny en jij thuiskwamen, had ik het hele huis schoonge-maakt en was ik nuchter. Maar vanaf de dag dat jij thuiskwam tot de dag dat ik vertrok, kon ik bij Jenny weinig goed meer doen. Als ik je een schone luier gaf, deed ik die te strak of ik maakte jouw melk te warm of te koud of legde je verkeerd in bed of kocht de foute potjes met fruithapjes of ik speelde te weinig of te veel met je of of of…

En als ik weer een zuipperiode had, wilde ze (terecht) dat ik van je afbleef. Maar hoe dan ook: Jenny gaf me geen kans om een vader voor je te zijn. Achteraf snap ik het wel. Ik dronk en ik had negen maanden zitten zeuren dat ik je niet wilde, dus veel ver-trouwen had ze niet meer in mij.

Toen je wat groter werd en af en toe behoorlijk lastig was, kreeg ik daarvan ook de schuld. Voor een deel was dat terecht. Ik zorg-de nou niet bepaald voor een prettige sfeer in huis en zodra de drank was in de man, kwam er ruzie van.

Toen ik uiteindelijk (na drie jaar) vertrok, heb ik met een senti-mentele (maar nuchtere) kop bij jouw bedje gestaan. Jij sliep als een roos en ik heb allemaal lieve dingen tegen je gezegd. En ik heb ook 'sorry' gemompeld en je verteld dat ik jou en Jenny ver-der met rust zou laten. Ik zat toch alleen maar in de weg.

Dat klonk toen erg opofferingsgezind, maar het kwam me ook wel goed uit. Ik was Jenny zat, ik was jouw gejengel zat, ik was de hele zooi zat. Kortom: er was geen plaats meer voor Ties in het stalletje en hij nam de benen.

Dit is het hele verhaal, Sonia.

Nog één ding. Nú ben ik als een kind zo blij dat Jenny toen géén abortus heeft laten plegen. Wat tóén hopeloos leek, is nú zo hoopvol.

Hoera, ik heb een dochter!

Ik houd van je.
Ties

Lieve Ties,

Poeh, poeh, wat een brief! Maar je ziet het: ik schrijf terug.
(Er liggen al achttien verfrommelde blaadjes op de grond
en dit zal wel nummer negentien worden.)
Eerst drong het allemaal niet tot me door. Ik zat te zwij-
melen bij dat Pinkpop-verhaal. Ik las het nog eens. En nog
eens. En ineens dacht ik: HÉ, WACHT EENS E-VEN-TJES!
HIJ HEEFT ME BIJNA ECHT DOOR HET PUTJE GE-
SPOELD!
Ik begon me toch te trillen! Alsof ik één seconde daarvoor
aan de dood ontsnapt was. In plaats van dertieneneenhalf
jaar geleden.
Drie dagen lang heb ik het aan niemand verteld. Iedereen
vroeg wel wat er was en waarom ik zo bleek zag en zo. Ik
kon helemaal niet denken. Ik dacht alleen maar: Ik was er
dus bijna niet geweest! Ik probeerde me voor te stellen hoe
dat zou voelen: er niet zijn.
Dat valt nog helemaal niet mee. Ik bedoel, je dat voorstellen. Dan had ik in de embryootjeshemel gezeten. Had ik
daar de boel lekker kunnen stijfkijven! Misschien was ik
daar ook wel naar De Klepper gestuurd, de hemelklepper.
Na drie dagen werd ik er echt een beetje raar van, toen heb
ik het aan iedereen verteld. Eerst aan Chrissie. Ze las de
brief en zei: 'Erg zeg!'
'Wat nou, erg zeg?' zei ik.
'Dat je vader leraar Nederlands had willen worden!'
Ha ha.
(Later zei ze wel dat ze het een enge brief vond.)
Toen aan Maarten. Hij bleef heel lang stil. Héél lang.

91

Ik zei: 'Maak voor mijn part zo'n domme opmerking als Chrissie, maar zég wat!'

Weet je wat hij toen vertelde? Dat hij vóór Anouk, zijn dochtertje van drie, ook abortus heeft laten plegen. Ja, hij niet, maar zijn vrouw. Tien jaar geleden. 'We waren kansloos,' zei hij.

Ik zei: 'Er zijn zoveel ouders kansloos, maar die laten het kind toch komen.'

Hij dacht zeker: precies, en met die kinderen verdien ik nu mijn brood!

Maar dat zei hij niet. Hij knikte alleen maar. Zielig vond ik hem ineens. Ik vroeg of hij er nog veel aan moest denken. 'Heel veel,' zei hij. 'Vooral sinds de geboorte van Anouk. Maar ik vind het niet erg om er aan te denken. Ik sta nog steeds achter de beslissing, júíst nu we Anouk hebben.'

Toen heb ik het op de kletsclub verteld. Weet je wat Jill zei? 'Nou, op wie kunnen we nu allemaal lekker boos worden? Op je vader natuurlijk, want die wilde niet dat je op de wereld kwam en toen je toch kwam, smeerde hij hem snel. En op je moeder, want je was maar een ongelukje. Een helaasje. Of op je nieuwe broertje, omdat hij wel lekker thuis mag wonen en op Stefan natuurlijk, want hij is eigenlijk de schuld van alles.'

Ik zei: 'Of op Jill, omdat ze zo dom zit te zwammen.'

'Ja,' zei ze. 'Die kan er ook nog wel bij.'

Stilte. Ik zat enorm níét te huilen.

Toen zei ze: 'Je vader wilde jóú niet laten weghalen, Sonia! Die hele beslissing had toch niets met jóú te maken?'

'Juist alles!' zei ik. 'Ik was er bijna niet geweest, mens!'

'Je vader zag in dat hij niet voor een kind kon zorgen,' zei ze. 'Dat hij waarschijnlijk weg zou vluchten. Hij heeft zijn verantwoordelijkheid genomen en geprobeerd dat leven dus niet te laten beginnen. En zeg nou zelf: hij had het juist ingeschat.'

(Amen.)

Toen zei Birka dat ze blij was dat ik er was.

'Ik ben helemaal niet blij,' zei ik. 'Ik had in mijn bed moeten blijven!'

'Nee,' zei ze. 'Ik bedoel, ik ben blij dat je leeft.'

Ja hoor, op die toer, dacht ik.

Iedereen vond er dus wel iets van. Ze begrepen jou allemaal heel goed. Niemand zei: 'Jouw vader is een moordenaar omdat hij abortus wilde.'

(En gelukkig zei ook niemand: 'Had je vader zijn zin maar gekregen.' Zelfs Chrissie niet voor de grap.)

En ik dacht, ja, ik snap hem ook wel. Het had inderdaad niets met mij persoonlijk te maken. MAAR WAAROM BEN IK DAN NOG ZO VERSCHRIKKELIJK KWAAD?

Alsof er zwart gif door mijn aderen stroomt. Ik wil iedereen wel voor zijn kop knallen.

Het is nu half vier in de nacht. Maarten heeft slaapdienst, zeg maar praatdienst, want we hebben van elf tot nu gekletst.

Ik weet waarom ik zo boos ben. Natuurlijk was ik een rampenkind (*'af en toe behoorlijk lastig'*), dat weet ik heus wel. Maar je kunt als je kind drie is, niet meer zeggen: 'O ja, trouwens, ik wil toch maar anonieme zaaddonor zijn.'

Ik was toen toch geen klompje cellen meer? Je kénde me toch? Ik was toch Sonia? (Sonja, toen nog.)

Ik wilde dat je dit had geschreven: *Je was het mooiste wat mij ooit was overkomen, maar ondanks jou, mijn lieve schat, óndanks jou moest ik weg.*

Waarom mocht ik niet gewoon één keer per maand met je naar Artis? Zodat ik begrepen had dat het om mijn moeder ging en niet om mij.

Was dat wel zo?

Toen ik net naar bed ging, zei Maarten: 'Je vader zal nu wel apetrots op je zijn.'

'Niet "ape" zeggen!' riep ik.

'O, pardon.' (Hij kent Stefan.) 'Beretrots, dan!'

Ik zei: 'Ja maar, toen…'

'Toen toen toen!' riep hij (toen). 'Schrijf die brief nou maar! Vecht dit uit en zet er dan in vredesnaam een streep onder. Kijk naar wat je nu hebt. Wie heeft er nou zo'n band met zijn vader? Het heeft ook zijn voordelen om elkaar pas later te leren kennen, hoor!'

Ties, ik wil gewoon weer lieve dingen schrijven, maar ik krijg het mijn pen nog niet uit. Dank je wel voor je brief. Als we later oud zijn, zal ik hem een keer uit mijn hoofd voor je opzeggen, want dat kan ik nu onderhand wel. Ik hoop dat we er dan om kunnen lachen. (Misschien ben je dan wel dement en lach je overal om. Dat heb je vaak bij drinkers, hoor!)

Dag lieve Ties,
doodmoe kusje van Sonia.

Lieverd,

Je probeert je voor te stellen hoe het is om er níét te zijn. Maar als je je dát kunt voorstellen, dan ben je er dus ook niet.
Je bent er wél!
En ik óók!
Já, ik wilde abortus. Néé, niet van jóú, maar van iets wat ik nog niet kende. Iets wat me benauwde, omdat ik wist dat ik een kluns van een vader zou zijn die zoop, geen reet uitvoerde, die een relatie had die gestut werd door gammele tentstokken, geheime ijs- en meterkastbezoeken en schone schijn. En wat deed slappe pappie dus: als de sodemieter wegwezen!
Vandaag zijn we bijna veertien jaar en ongeveer veertig brieven verder. En hier is pappie weer. Door zijn dochter tot de orde geroepen en daar hartstikke blij mee. Het wordt nu dus tijd voor actie, voor krachtige en definitieve herstelwerkzaamheden. Ik wil je zien, Sonia.
Dat bedacht ik allemaal gisterennacht toen ik je boze lieve brief gelezen had en na zes borrels. Ik denk het nú nog. En ik ben nu zo helder en fris als de wc-reiniger van Suus en Arie. Ik denk: ik bel op naar De Klepper en zeg dat ik even langskom. Maar dat zal wel tegen de regels zijn.
Ik denk: ik bel op en zeg: 'Kunt u Sonia nú naar me toe sturen?'
Ik denk: ik spring door het raam bij het kletsclubje en roep: *'Here I am! The man who wanted to kill his daughter.'*
Ik denk ook: misschien mág ik haar helemaal niet zien. Ben ik, therapeutisch gezien, een gevaar voor mijn dochter. Dan ontvoer ik haar, nu meteen! Maar dat zal ook wel tegen de regels zijn. Houden wij ons aan de regels? Voor deze keer wel, stel ik voor. We laten ons het psychopathische gedoe van De Klepper

gewoon aanleunen, want er is één doel waar wij naar streven: elkaar zien!

Nu denk ik: mijn dochter is zélf heel goed in staat dit te regelen met die Maarten. Daar heeft ze mij niet voor nodig.

Lieve Sonia, laat dus weten hoe dat moet: elkaar zien?

Kom je hiernaartoe?

Haal ik je op?

Kom ik naar jou toe?

En hoe lang mogen we elkaar zien?

Een uurtje, een dag, een weekend?

Dag lieve dochter,
zoen van Ties

Lieve Ties,

Nog vier nachtjes slapen. Het lijkt wel of ik onder stroom
sta, zo zenuwachtig ben ik.
Maarten zei dat je heel aardig klonk aan de telefoon.
Je moet niet schrikken van het gebouw, hoor! Van buiten
lijkt het net een gevangenis. En van binnen ook, eigenlijk.
Ik zit achter tralies, dat wist je toch?
Nee hoor, grapje.
Ik kan niet meer normaal doen sinds ik weet dat je komt.
Wat zal ik aandoen? Waar gaan we het over hebben? Ben
je in het echt wel net zo lief als in je brieven?
Chrissie zegt dat je misschien wel dreadlocks hebt omdat
je je haar nooit wast.

Ik vroeg aan Maarten of hij erbij kan blijven. Met hem kun
je denk ik wel praten. Maar hij wilde niet. Ik heb ook al
twee keer gevraagd of hij af wilde bellen. Maar dat wilde
hij ook niet. (Gelukkig!)

De bezoekersruimte is heel ongezellig, hoor! Zit jij er al, en
kom ik dan binnen? Of andersom?
Ik ben benieuwd naar die fijne romantische vioolmuziek
van je. Als ik maar niet hoef te braken.
Jemig, wat een gewauwel, hè?
O ja, je moet dus drukken zodra je het zwembad ziet, niet
vergeten, want hij (de bus, bedoel ik) rijdt gewoon door en
dan moet je wel een kwartier teruglopen.
Ik zal zo normaal mogelijk doen.
Ik heb mijn haar blond gemaakt, mijn eigen kleur. Maar

97

zwart vond ik toch mooier, dus misschien verf ik het weer
zwart voor zaterdag.
Dag lieve Ties, tot zaterdag!

Dikke kus van zenuwSon

Lieve Ties,

Ik vergat nog te schrijven dat ik bij mama ben geweest. Het gaat niet zo goed met haar, ze moet plat liggen anders loopt dat kind te vroeg naar buiten. Wel rot voor haar. Ze is best lief sinds ze zwanger is.
Ik vertelde van jouw vorige brief, over dat jij een jeweet-wel had gewild.
Ze zei: 'Wat heeft het nou voor zin om dat aan jou te vertellen!'
'Ik wil alles weten,' zei ik. En toen vertelde ik dat je zaterdag komt.
Toen zei ze dat ik me niet te erg moet verheugen. 'Hou er rekening mee dat hij gewoon niet komt opdagen. Daar kan hij niets aan doen, zo is hij. Hij krijgt het benauwd van afspraken.'
Ties, wel komen, hoor! Ik verheug me juist te pletter, namelijk.
Dag, tot overmorgen!
Dus: drukken bij het zwembad en dan met de busrichting meelopen. Je ziet het vanzelf.
Wapens thuislaten want je wordt gecontroleerd bij de poort.
Nee, hoor.
Mijn haar is weer zwart.
We kunnen ook gaan wandelen. Of gewoon hier blijven. Nou ja, we zien wel.
Dag lieve Ties. Wel komen alsjeblieft, ook als je twijfelt, goed?

Kus van je superkalme dochter

P.S. Gaan we in het echt elkaar een zoen geven? Of een hand? Maarten zegt dat je dat vanzelf wel aanvoelt. En als we nou allebei iets anders voelen? Nou ja, we zien wel. Een handkus, of zo.

Lieve Ties,

Nog heel even: we kunnen ook iets gaan doen. Een spelletje, of even de stad in. Bijvoorbeeld naar de Taveerne, daar kun je koffie drinken en milkshakes. Dus als je denkt: wat heb ik daar twee uur lang te zoeken: tóch komen, dan gaan we ergens heen of iets doen.

Tot morgen,
innige handkus van je gastvrouw

Dag lieve Ties!

Je bent net weg. Ik kan eigenlijk niet schrijven, want mijn arm is uit de kom van het zwaaien. Ik ben zo blij! Ik heb zelfs Simone zomaar een zoen gegeven.

Maarten noemde me een hysterische kip toen ik terugkwam van de bushalte. 'Ga even onder de douche, of voor mijn part rondjes rennen,' zei hij.

Maar ik dacht: ik ga je gewoon meteen schrijven.

WAT DEED IK DEBIEL TEGEN JE, ZEG!!

Sorry hoor! Dat waren de zenuwen.

Toen ik binnenkwam, moest je een beetje huilen, hè? Zeker enorm teleurgesteld! Nee hoor, grapje.

Ik had zelf ook ineens het gevoel dat er een cactus in mijn keel zat. Wat lijken we op elkaar, ik schrok me rot! Ik kende natuurlijk wel foto's van je, maar daar had ik dat nooit op gezien. Ik kreeg er een tongverlamming van.

Maarten had beloofd dat hij de eerste minuten zou volpraten, maar hij zei ook niets, die slome. Hij was zeker zelf te ontroerd.

Aardig dat je zei dat je me mooi vond. Ik had nog tegen Chrissie gezegd: 'Jij moet in mijn plaats gaan, doe maar alsof je Sonia bent. Als hij mij ziet, neemt hij meteen de eerstvolgende bus naar huis.'

Dat haar van me! Het leek wel of er een dooie kraai op mijn kop lag. Normaal zit het veel leuker, hoor.

Ik was blij dat je zo snel mogelijk naar buiten wilde, want als ik rustig op een stoel had moeten zitten, was ik ontploft.

Eerst dacht ik: wat loop ik hier nou te doen? Hadden we

maar nóóit afgesproken. We hadden gewoon moeten blijven schrijven. Niet dat ik je raar of eng vond, geen dakloze of zo. (Daar was ik eerlijk gezegd een beetje bang voor.) Maar je was zo'n vreemde, terwijl ik in mijn brieven al alles tegen je durf te zeggen.

Gelukkig begon jij meteen te kletsen. Als je niet gezegd had dat je een paar borrels gedronken had, had ik niets gemerkt hoor, ik rook ook niks.

Ik moest wel lachen toen je vertelde dat je door de bus had geroepen dat je bij je dochter op bezoek ging.

Pas toen we bij de sportvelden waren, durfde ik mijn mond open te doen. En ik heb hem geloof ik ook niet meer dichtgedaan, hè? Zo ben ik niet altijd, hoor! Ik kan ook goed luisteren.

Ties, ik vind je heel erg lief.

Anna heeft net voor je naar het busstation gebeld om te vragen of ze je plastic tas hadden gevonden, maar niet dus. Het geeft niet. Dan maar geen cadeautje. Schrijf me maar wat erin zat. Je kunt lekker alles verzinnen! ('Een kameel! Wat een leuk idee! Die had ik altijd al willen hebben.')

Meende je wat je zei, net voordat je instapte?

Dikke kus (Ja, ja, ja, nou durft ze wel weer!) van je Soniatralala

Lieverd,

Ik was ook hartstikke zenuwachtig. Daarom kletste ik maar door toen we naar dat sportveld liepen. Ik weet niet wat ik allemaal heb verteld.

Ik herinner me nog wel dat ik het over die mensen in de bus had. Over die vrouw die me steeds zat aan te gapen. Letterlijk. Achteraf denk ik dat ze een handicapje had en haar mond niet dicht kon.

Maar goed, ik ben blij dat je niet teleurgesteld bent in mij. Ik had me wel een beetje opgedoft. Vond je die stropdas niet stom? Ik wist niet eens meer hoe ik dat ding om moest doen. Buurvrouw Suus heeft me nog moeten helpen. Ik voelde me een mislukte zakenman. Volgende keer doe ik gewoon, maar ik wilde een goede 'eerste' indruk maken op die mensen van De Klepper (en op jou natuurlijk, maar daar is geen stropdas voor nodig).

Suus en Arie waren natuurlijk bloednieuwsgierig toen ik thuiskwam.

Suus, de schat, heeft trouwens jouw cadeautje opgeduikeld via een zoon van een nicht van haar en daar weer een dochter van (of zoiets, ze heeft het wel uitgelegd, maar ik ben het spoor bijster. Suus is gek op haar familie en kent alle achter-achter-achterneven tot ver in de prehistorie). Die dinges, zal ik maar zeggen, werkt bij de busmaatschappij. Suus heeft dinges gebeld en de volgende dag had ik jouw cadeautje terug.

Ik stuur het je hierbij op. Ik vraag me nu af of het wel zo'n geschikt cadeau is. Het is geen kameel, maar een kettinkje met een zilveren S'je eraan. Misschien vind je het wel erg onnozel.

Nou ja, je moet maar kijken of je het dragen wilt. Anders hang je er maar een (klein) plantje aan of zo, op je kamer. Die vond ik trouwens wel heel gezellig.

Je vroeg of ik je haar niet stom vond. Nee, want ik heb er niet op gelet, eerlijk gezegd. Ik dacht alleen maar: ik loop hier naast mijn dochter!

Sorry dat ik wat gedronken had. Voor alle zekerheid had ik een zakflaconnetje meegenomen. Tegen de tijd dat ik moest uitstappen had ik dat half leeg. Van de zenuwen. Daarom zat de hele bus mij ook aan te gapen. Ik probeerde onopvallend af en toe een slokje te nemen, maar dat is best moeilijk hoor, onopvallend drinken in een bus vol mensen.

Daarom ben ik ook niet met mijn auto gekomen. Ik wist bijna zeker dat ik iets zou moeten drinken. Anders was ik vermoedelijk halverwege uitgestapt. Niet om jou, maar omdat paps een neuroot is. Ze hebben trouwens al een keer mijn rijbewijs afgepakt. Dat risico neem ik maar niet meer. Als ik met mijn poppen op stap moet, kan ik mijn wagen niet missen.

Na mijn thuiskomst heb ik eerst verslag gedaan bij Suus en Arie. Wat was ik trots!

Maar 's avonds, toen ik weer alleen was, rommelden mijn gedachten alle kanten uit. Dat heb ik wel vaker. Dan ben ik boos, gelukkig, verdrietig, wanhopig, vrolijk, onverschillig en ga nog maar even door. Al mijn gevoelens komen in optocht voorbij.

Ik dacht: Ties, wat heb je toch een puinhoop gemaakt van je leven.

Ik dacht: Ties, wat ben jij toch een geluksvogel. Je dochter is terug.

Ik dacht: Ties, wat ben je toch een slappeling. (Je kunt je kettinkje misschien toch omdoen. Vragen ze aan je: 'Die S betekent zeker Sonia?' Antwoord: 'Nee, dat is een herinnering aan mijn vader. De S van slappeling!')

Ik dacht: Ties, je bent geen vader, je wilt ook helemaal niet opvoeden. Hoe moet dit verder?

Ik dacht: Ties, laat iedereen toch de klere krijgen.

Ik dacht: Ties, je hebt vanmiddag met je dochter gewandeld. Ze
gaf je zomaar een arm.

Ik dacht: Ties, je komt nooit van die drank af, dat weet je maar
al te goed. Je blijft een zuipende, alleenstaande poppenspeler tot
de dood erop volgt.

Dus die avond heb ik (sorry) toch maar de rest van het flacon-
netje tot mij genomen en nog enige andere alcoholica. Ik wou
dat ik die heerlijke, smerige, verrukkelijke godvergeten troep
kon laten staan, maar dat lukt me niet.

Maak je, wat dat betreft, niet te veel illusies, lieve Sonia. Paps is
een zuiper. Niet iedere dag. Ik sta regelmatig een tijdje droog,
maar helemaal zonder is bijna ondenkbaar. Herma, mijn strenge
engelbewaarder, weet dat ook. Hoe dat dus met jou en mij
moet, in de toekomst, weet ik echt niet.

Maar ik meende wél wat ik zei, vlak voordat ik in de bus stapte.
Ik wil graag dat je gauw een keer bij mij thuis komt. Het wordt
dan hopelijk ook een beetje jouw thuis.

Lief dat je zei dat je dan eindelijk het grafje van Bolle kunt zien.

Hele dikke zoen (nou durft hij wel...)
Ties

Lieve Ties,

Moet je eens horen: De Klepper gaat sluiten! In december al. Het gebouw is verouderd en ze gaan fuseren met Harsholt.
Het is dus opheffingsuitverkoop in de slettenflet! De helft van de meisjes gaat naar Harsholt. De andere helft gaat naar huis met extra begeleiding of naar een pleeggezin. Ze hebben ACHTER MIJN RUG OM gevraagd of mijn moeder mij weer kan hebben.
Nee dus.
Alsof ik dat gewild had. Maar ja, daar gaat het natuurlijk niet om. En, ik zal het maar meteen vertellen: het heilige team ziet bij jou ook geen mogelijkheid. Vanwege je flaconnetjes.
Hebben ze jou iets gevraagd, hebben ze mij iets gevraagd? Dat wordt dus Harsholt.
Ik vroeg of ik niet naar begeleid-kamerbewonen kan, samen met Chrissie. En toen hoorde ik dat zij bij haar pleeggezin mag wonen. Shit!
Nou ja, ik zie wel.
Ik heb alvast op internet gekeken naar de bussen vanaf het station naar Harsholt. Die gaan om het half uur en ze stoppen vlakbij, dus je kunt wel gewoon op bezoek komen. Als je tenminste wilt.
Ik heb hartstikke de pokkenpest in omdat Chrissie weggaat en omdat ze niet eerst aan mij hebben gevraagd wat ík nou wil.
Maar er is ook iets fijns: Maarten kwam net op mijn kamer om te zeggen dat hij het heel knap van me vindt.

Ik vroeg wat dan wel niet.

Hij: 'Het is echt rot voor je en je hebt alle reden om woedend te zijn. En toch zijn alle borden nog heel, er is niemand verrot gescholden, iedereen heeft al zijn haar nog. Sonia, je hebt gewoon GEZÉGD wat je dwarszat. Heb je dat wel in de gaten?'

Ik knikte maar zo'n beetje, maar ondertussen begon er wel mooi een orkest in mijn buik te spelen. Ik ben een ex-loeder! Nou ja, een beetje.

Ik hoop dat Maarten ook naar Harsholt gaat. Hij weet het nog niet, zei hij.

Ik heb het allemaal net gehoord. Ik dacht: ik ga het meteen vertellen. Hé Ties, er is wel iets tussen ons veranderd sinds ik je gezien heb. Je bent meer een vader geworden. Snap je wat ik bedoel?

Ik zag wel dat je anders nooit een das draagt, maar ik vond hem heel schattig staan. (Al was dát natuurlijk niet echt je bedoeling.)

En ik vind het kettinkje héél erg mooi. Ik draag het constant, ook 's nachts.

Ik ben heel blij dat je er (weer) bent!

Dikke kus van je dochter Sonia met de S van Sonia

Lieverfd,

Zijn sze nou heewlemaal belazertdt.
Gebouw te oud. Hup allle meiden op transport naar Harsholt.
Kinderbescherrming heet dat! Kindder Sicherheitsdienst. En
ook nog stiekuem je moeder bnaderen. Stelletje laplullaaas,
Jag.... ik moet iets hebben. Tot zo. Jagjagg

(Volgende dag)
Lieverd, als de drank is in de man, dan kan hij er wat van.
Ik kreeg je brief net op het moment dat ik in een dikke dip zat.
Alleen drank kan mij dan nog redden, dat weet je. De reden zal
ik je besparen. Nou ja, het ging om een vrouw. Paps was verliefd,
maar daarover een andere keer. Het gaat nu om jou.

Wat ben jij netjes gebleven, zeg! Niet boos geworden, al het ser-
vies nog heel, geen groepsleider vermoord maar gewoon 'gezégd
wat je dwarszat'. Toen ik dat las, werd ík wel kwaad. Ik dacht:
íemand moet hier toch even uit zijn vel springen. Iemand moet
het doen, want mijn dochter doet het niet. Nee, die is tegenwoordig zóóó keurig. Zóóó opgevoed! Zelfs geen eierdopje
vliegt er door het gebouw.
Vandaar dat ik bovenstaand stukje, waar de dranknevelen vanaf
walmen, toch maar gewoon naar je opstuur.
Maar vandaag (nu de zon schijnt en mijn hoofd weer helder is)
weet ik dat je gelijk hebt, Sonia. Het is goed dat je de tent niet
hebt afgebroken. Je vader heeft vroeger alles verprutst wat er te
verprutsen viel. Doe jij dat maar niet.
Toen we vorige week samen naar het sportveld liepen, somde je
op wat je later allemaal zou willen worden. Het was wel erg veel:

toneelspeelster, lerares, groepsleidster in Harsholt (maar dan anders), wereldreizigster, nachtclubdanseres, enz. enz.

Die danseres sprak mij minder aan, maar als jij om zo'n paal wilt kronkelen, moet je dat doen. Ik kom alleen niet kijken. Ik raak daar niet opgewonden van, omdat jíj het bent. Als ik nu naar je kijk, voelt het goed. Je bent mijn dochter. Andere mannen vinden jou vast een mooie meid en ik vind dat ook (vooral omdat je schreef dat we zo op elkaar lijken, toch een hele troost voor een alcoholische veertiger). Maar het voelt anders voor mij. Hoe leg ik dat uit, of hoef ik dat niet uit te leggen?

Ik bedoel: er zijn gestoorde vaders met gore bedoelingen die niet van hun kinderen af kunnen blijven. Ik snap daar niks van. Natuurlijk heb ik daar vóór onze eerste ontmoeting wel over nagedacht. Hoe zal dat zijn, zomaar ineens zo'n mooie, jonge meid naast je? Ik stopte dat maar diep weg in mijzelf en dacht: ik zie wel.

Vanaf het eerste ogenblik dat ik je zag, wist ik: dit is mijn dochter! Die wil ik helpen en beschermen. Niet meer en niet minder. Volgens mij voelt een echte ouder dat altijd zo. Zelfs ik, als totaal mislukte vader, kun je nagaan.

Nu ik dit overlees, stel ik voor dit naar de *Margriet, Libelle* of *Viva* te sturen. Of naar de dames van jouw therapiegroepje, de kletsclub van Jill en Maria. Die zullen hiervan smullen. 'Vooruit meneer Overkamp, gooi het er maar uit. Wat zijn uw diepere lagen? Uw ware gevoelens? Hoe werkt dat bij een gezonde veertiger?'

Lieverd, laat je gauw weten wanneer je naar Harsholt op transport wordt gesteld? Ik duim voor je dat Maarten meegaat. En al mag je dan niet bij paps wonen, je mag wel bij paps logeren, neem ik aan. Of om te beginnen een dagje langskomen.

Een vrolijk nieuwtje: binnenkort krijg ik weer een poes! Een achternicht van buurvrouw Suus en van haar weer een broer en dan zijn dochter (het gaat nog even door, maar ik ben de draad hier kwijtgeraakt) heeft een nest jonge katjes (om met Suus te spreken: 'Niet die dochter van die neef, maar de kát van de dochter van die neef').
Suus en Arie hebben besloten dat buurman Ties weer een poes moet nemen. Reden: 'Dan bent je nooit allenig. Je suipt minder en het is leuk foor as je dochter komp.'
Je ziet Sonia, er wordt aan je gedacht!

Veel liefs en een dikke knuffel,
Ties

Lieve Ties,

Iedereen mag ergens anders heen, behalve ik. Maar ik ga niet, hoor! Ik ben niet achterlijk.

Maarten gaat met drugsverslaafden werken in Breda.

Ik zei: 'Breda lijkt me wel een leuke stad.'

'Nee Sonia, jij gaat gewoon naar Harsholt,' zei hij.

Eikel.

Ik zei: 'Waar bemoei jij je mee? Ik kom naar Breda en daar spuit ik me vol. Dan kom ik vanzelf bij jou terecht. En jij moet gewoon je werk doen.'

'Je hebt niet eens geld,' zei Simone, die ik haat.

'Ik ga wel om een paal kronkelen,' zei ik. 'Dan krijg ik vanzelf geld. Van jouw vader, bijvoorbeeld.'

Simone kwaad naar Katja.

'Om een paal kronkelen moet je maar in Artis doen,' zei Maarten. 'En die grote mond van jou ben ik onderhand spuugzat.'

'Nou, goed dat je met junkies gaat werken,' zei ik. 'Die zijn namelijk altijd heel beleefd en aardig.'

Heel gezellig is het bij ons, kortom.

(Volgende dag)

In de Joy is een jongen, Danny, die zei dat ik wel bij hem mag wonen. Misschien doe ik dat wel, maar ik twijfel, want hij heeft een vriendin. En zij vond het geloof ik geen waanzinnig goed idee.

Chrissie gaat volgende week al. Ze heeft hartstikke veel zin, dat zie ik heus wel aan haar, ook al probeert ze het voor mij te verbergen. Wat zal ik haar missen, zeg! Zij is echt een supervriendin.

112

Bedankt voor je brief, trouwens. Ik snap wel wat je bedoelt, er zitten genoeg meiden in De Klepper met van die vaders. Ik noem geen namen, want dan krijg ik weer op mijn kop van Katja. Maar je weet vast wel wie ik bedoel.
Bij ons is het anders, Ties. Jij bent écht mijn vader, ik voel me bij jou een dochter en geen vrouw.
Je wilt weer een poes nemen, hè? Ik weet nog wel een lekkere valse kat voor je! Ze heeft de S van straatkat aan haar halsbandje hangen en ze is toevallig net op zoek naar een veilig plekkie. Nee hoor, grapje. Jij weet goed wat je doet en als je er nog niet aan toe bent om nu wel voor me te zorgen, moet je dat ook echt niet doen. (Nou ja, voor me zorgen... dat zou niet eens hoeven, we zorgen voor elkáár.)
Wat niet kan, dat kan niet.

Ties, hoe gaat het nu met je? Had die vrouw het uitgemaakt? Zeer doet dat, hè? Logisch dat je jezelf weer even in de alcohol hebt ondergedompeld, blub blub.
Hier zijn honderd kusjes voor op je gebroken hart:
XXXXXXXXXXXXXXXXXXXXXXXXXXXXXXXXXXXXXXX
XXXXXXXXXXXXXXXXXXXXXXXXXXXXXXXXXXXXXXX
XXXXXXXXXXXXXXXXXXXXXXXX
Zo... over!!
(Was het maar zo makkelijk.)
Wil je eens meer over haar schrijven?
Lieve Ties, je hoeft je geen zorgen over mij te maken. Het transport is over drie weken. Voor die tijd vind ik wel iets en anders ga ik naar Danny. Als Herma tegen jou zegt dat ik ben weggelopen, moet je dus niet ongerust worden. Ik neem wel weer contact met je op.

113

O nee, ik heb je adres niet.
Nou ja, we zien wel.
Heel veel liefs en een dikke knuffel terug.
(Over dikke knuffels gesproken: mijn Bolle heeft veel er-
varing met het opvangen van liefdestranen. Heb je hem
nog? Probeer het maar!)
Dag, dag, dahag!!

Heel veel liefs (vol vertrouwen in het vaderland),
je Sonia

Mijn lieve dochter,

Ze zijn daar behoorlijk achterlijk op die Klepper. Daarommm kom je gewoon hierheen. Ik heb al maandenlang een kamertje voor je vrijgehouden. Nooit gezegd, maar altijd gedacht: ik moet zorgen dat ze daar weg kan, die dochter van mij, in geval van noood.
Nu is het zover! Welkom dochter van me!
En neem Bolle mee.
Ik alat je niet naar de mallemoer gaan, lieve Soniia.
Ik heb je ooit laten barstten, maar dat doe ik niet meer.
Je pakt zondag de trein naar mij toe. Je hebt hier al eens rondgezworven, zwerfkat, rafeloor, dochter, je weet bijna waar ik woon.
Ik sta vanf 1 uur op het station. Er gaan om het half uur treinen bij jullie vndaan. Die stome bus gaat maar twee keer op een dag.
WE LATEN ZE ALLEMAAL BARSTEN, al dei zogenaamde hulpverleners die je niet horen als je echt om hulp roept!

Veel liefs,
je vader

Lieve Ties, LIEVE TIES!!!

Ik word helemaal gek! Je kunt ook doodgaan van geluk, hoor! Hier is iedereen erover aan het praten, spoedberaad zus en crisisoverleg zo. Ze doen maar, ik kom toch! Dank je wel en dat maal duizend.
Ik mag niet meer schreeuwen van Katja, maar ik doe het nog één keer: ... !!!
Hoorde je het? Zo blij ben ik.
(Ja hoor, stuurt ze een kaartje met reclame voor drank. Sorry, ik zie het nu pas.)

Dag liefste Ties,
een keurig kusje van je inwoonster.

Lieve Ties,

Je bent net weg. Fijn dat je zo snel kon komen. Aardig is Maarten, hè?

Nog vijf dagen.

Nu het allemaal echt doorgaat, krijg ik ineens de zenuwen. Ik voel me nog steeds de grootste bofkont van de hele wereld, maar ik vind het ook eng.

Maar ja, jij ook, zei je.

We gaan het gewoon proberen, Ties. Ik heb een ritssluiting op mijn grote mond genaaid. Zip! Geen gekijf meer. Hij gaat alleen nog maar open als ik iets normaals te zeggen heb. Katja heeft net die school gebeld bij jou in de buurt. Ik mag maandag meteen komen! Ze zagen geen bezwaren, ook al kom ik van De Klepper. Dat vind ik helemaal eng, dat ze dat weten. Maar de eerste de beste die er iets van zegt, krijgt van mij meteen een… Zip!

Zie je? Mijn ritssluiting werkt.

Ik heb niet veel spullen: een rugzak vol en nog zo'n grote sporttas. Ik ga mijn nieuwe kamer heel gezellig maken en ik heb me voorgenomen om hem netjes te houden.

Ik heb steeds kleine filmpjes in mijn hoofd. Dat ik uit school kom en dat we dan lekker samen thee drinken. (Ja, Ties: THEE!) En 's avonds op de bank samen GTST kijken. Om de beurt koken. (Ik kan pasta en pannenkoeken en ~~pompoepsoep~~) pompoensoep. (Er stond: pompoepsoep.)

Je mag van mij best drinken, hoor! Ik hijs je wel op de bank. Maarten zei dat ik naar een praatgroep kan voor kinderen van alcoholisten.

117

Ik meteen kwaad. Ik zei: 'Ties is geen alcoholist, hij is een borrelaar.'

Stom! Ik had moeten zeggen: 'Ja, in dat probleem schuilt nog een hele uitdaging voor mij!'

Ze bleven er maar over doorzeuren. Dat ik jouw 'ziekte' niet moet onderschatten en dat ik naar zo'n club moet. Ties, ik heb toegegeven, om ervan af te zijn. Nu moet ik elke dinsdagavond van acht tot tien naar het RIAGG. (Misschien kun jij naar een praatgroep voor vaders van kinderen van alcoholisten.)

O ja, ik heb mijn moeder gebeld om het te vertellen. Nou, aan haar heb je wat, zeg! Zuchten en steunen en 'ach meisje toch...'

Oei, wat ergerde ik me aan haar, ik heb gauw opgehangen. Ik vind het ook hartstikke leuk dat we samen een poesje gaan uitzoeken! Mmm, ik kan haar vachtje al bijna voelen. Eerst was ik zielig, nu is iedereen jaloers.

Ik mag naar huis!!!

Dag Ties.

Nee.

Dag papa! Tot zondag,

verheugend kusje van Sonia

Lieve papa,

Nog even: Maarten wil me per se brengen.
Oef, nog drie nachten, hoe kríjg ik ze om?
Tot zondag, om één uur op het station.

Trillend kusje van Sonia

Zondagavond, 23.00 uur

Beste Ties,

Dit is de dertiende poging. De vorige twaalf brieven ga ik verbranden. Ik hoop dat God niet heeft meegelezen, want dan kom ik in geen enkele hemel, zelfs niet in de kijvende-meisjeshemel.
Het heeft wel geholpen, al dat geschrijf. Ik ben niet meer boos en ik hoef niet meer te huilen.

Maarten en ik waren er al om half één. Op perron 3 staat zo'n groen, gevlochten ijzeren bankje. Daar gingen we zitten. Kroketje gegeten, gekletst over van alles. O ja, over bijgeloof. Om één uur ging Maarten kijken hoe laat de bussen aankwamen. Half één en half vier dus.
'Dan komt hij natuurlijk met de auto,' zei ik.
Maartens kop werd steeds strakker. Om half twee wilde hij bellen.
Ik zei: 'Je moet geduld hebben! Denk je dat die junkies van jou altijd netjes op tijd zullen komen?'
Toen gingen we 'persoontje raden' doen.
Om twee uur ging Maarten bellen, maar je nam niet op.
'Gelukkig,' zei ik. 'Dan is hij al weg.'
Om half drie heeft Maarten Herma gebeld. Zorgelijk gesprekje. Ze zou gaan kijken.
Ik twijfelde geen seconde aan je. Ik zei: 'Hij heeft zeker 13.00 uur opgeschreven en in de zenuwen las hij 3 uur. Kom zitten, ik heb iemand in mijn hoofd. Een heel moeilijk persoon.' (Simones vader)

120

Om drie uur belde Herma. Je deed niet open, ze zou naar de buren gaan.

Ik was totaal in paniek. 'Zullen we "geen ja en geen nee" doen?' schreeuwde ik hard.

'Sonia,' zei Maarten. 'Hij komt niet. Je vader komt niet.'

'Maarten,' antwoordde ik. En de rest schrijf ik niet op. Honderden vieze, lelijke padden zijn door het ritsje gebroken. Het allerergste was dat Maarten niet kwaad werd. Hij sloeg zijn arm om me heen. 'Kom meiske, we gaan naar huis,' zei hij zacht.

Dat is erg hoor, als iemand maar niet boos wil worden.

Ondertussen was ik totaal bevroren, ik denk niet dat mijn bloed nog stroomde, jemig wat was het koud, zeg! En dat vlechtwerk van die bank zat tot aan het kontbot in mijn billen gekerfd.

'Ik blijf wachten,' zei ik. 'Hij komt. Hij laat me niet nog een keer barsten, dat heeft hij zelf gezegd.'

Maarten: 'Blablabla, ziekte, blablabla, onmacht, blablabla.'

Ik hield mijn handen tegen mijn oren. 'Ik blijf wachten, hij komt.'

Om kwart over drie belde Herma weer. Wat ik ervan begreep was dat je niet op de deurmat lag, maar eronder.

En toen dacht ik aan Bolle. Toen hij geopereerd moest worden, had je hem beloofd om niet te drinken. En het lukte je, toch? Je ging zelfs naar Suus en Arie om afleiding te zoeken. Om maar niet te drinken. Want dat was je aan Bolle verplicht.

Onze terugtrein kwam er (weer eens) aan. Ik zei: 'Kom, we gaan.'

'Hij kan het niet, Sonia,' zei Maarten, toen we erin zaten.

'Jawel hoor,' zei ik. 'Maar hij wil het niet.'
Toen zei hij weer: 'Nee, hij kán het niet.'
'Moet jij een klap voor je bek?' vroeg ik.
'Ja, daar heb ik op dit moment eigenlijk wel behoefte aan,'
zei hij.
Toen moest ik huilen en is hij voor me gaan zitten zodat
niemand het kon zien.

Ik ben nu bij Maarten thuis. Zijn vrouw is Chrissie aan het
halen, we mogen voor één nachtje lekker samen op zolder
slapen.
Ik zie verder wel.
Ik zie wel of je nog schrijft en of ik dan nog schrijf.
Ik zie wel.
Dag Ties.

Lieve dochter,

Ik kan het niet. Hoe graag ik het ook wil, het kan niet. Ik schrijf dit volledig nuchter. Ik heb een week lang niet meer gedronken, nadat Herma mij vorige week zondagmiddag achter de deur heeft opgeveegd.

Ik schaam me kapot. Ik heb je belazerd en mezelf ook. Ik wilde je zo graag helpen, ja van de regen in de drup. Ik heb me laten meeslepen door de drank en door jouw noodkreet over De Klepper die dichtgaat.

Ik verwijt je niks. Ik heb je te lang in de waan gelaten dat ik je zou kunnen helpen, dat ik er altijd voor je zou kunnen zijn. Ik zou het zo graag willen, lieve Sonia, dat moet je van me aannemen. Ik zou die vader willen zijn die jij verdient. Maar ik kan het niet!

Ik lees dit stukje over en ik zie telkens het woordje 'ik' staan. Suus heeft gelijk als ze zegt: 'Ties, je bent te veel met jezelf bezig.'

Nadat ik je laatste brief kreeg, besloot ik dat het afgelopen moest zijn. Ik zei tegen mezelf: 'Ties, die meid heeft niets aan je. Je moet haar loslaten. Je hebt een droom in stand gehouden, een droom op drijfzand.'

Sonia, jij wilde graag een échte vader en ik maakte jou en mezelf wijs dat ik dat zou kunnen worden. En op al die momenten dat ik twijfelde, dronk ik mezelf moed in. Mooie vader, die op jenever loopt.

Ik heb je laatste brief verscheurd en gedacht: Sonia bestaat niet meer! Afgelopen uit! Die meid is bijdehand genoeg, die moet zichzelf maar redden. Die heeft niks aan een tweedehands vader, die alleen maar als een dronken olifant door de porseleinkast met haar gevoelens stampt.

123

Ik heb een paar dagen krampachtig geprobeerd om je te vergeten. Het werd bijna een obsessie. Ik ging als een gek het huis schoonmaken en propte alle rotzooi die ik in het schuurtje had gestopt weer in het kamertje dat ik voor jou bestemd had, zodat het weer het onduidelijke rommelhok werd dat het altijd is geweest. En toen drong het ineens tot me door. Ik was bezig mijn dochter voor de tweede keer te vermoorden. Ooit wilde ik die abortus en nu probeerde ik jou opnieuw uit mijn leven te verdrijven.

Diezelfde middag moest ik op een sinterklaasfeest poppenkast spelen. Met de moed der wanhoop ben ik gegaan. Toen ik achter de kast zat en met mijn standaard Jan Klaassen- en Katrijnverhaal wilde beginnen, besloot ik ineens iets heel anders te spelen. Ik begon met een verhaal over een meisje dat door haar ouders het bos in werd gestuurd, omdat ze haar niet meer wilden hebben. Ik had geen idee wat er verder zou (moeten) gebeuren, maar aan de andere kant van de kast zaten tachtig krijsende kinderen die spanning en sensatie wilden, dus ik moest doorgaan.

Het meisje (ik noemde haar 'Meisjelief') voelde zich eenzaam en verdrietig en ging op zoek naar vrienden om haar te helpen. Ze ontmoette toen allerlei akelige figuren die haar van alles beloofden. Eerst een enge heks die haar mee wilde lokken. 'Bij mij krijg je alles wat je hartje begeert, liefje,' kraste de heks, 'maar je moet wel alles doen wat ik zeg.'

De kinderen gilden meteen: 'Niet dóéóéóén!' en het meisje ging er gauw vandoor. Toen kwam er een reus die met haar wilde trouwen ('Niet dóéóéóén!') en daarna dreigde ze in handen te vallen van een politieagent die vond dat Meisjelief er raar uitzag en geen manieren had. Hij zou haar wel eventjes opvoeden. ('Niet dóéóéóén!')

Meisjelief wist gelukkig steeds te ontkomen, maar ze werd er wel moedeloos van. 'Er is dus niemand die ik kan vertrouwen,' zei ze tegen zichzelf.

Maar toen kwam ze een wolf tegen, die aan de drank was. Het publiek raakte helemaal overspannen, want wolven moet je nooit vertrouwen, zeker niet als ze aan de drank zijn.

Deze wolf was echter heel zielig en zei: 'Ik ben net zo eenzaam als jij, Meisjelief. Kom bij me wonen, dan zal ik als een vader voor je zijn, want je bent om op te vreten.' Hij bedoelde het niet letterlijk, maar het publiek vatte het wel zo op en begon nog harder te krijsen. ('Niet dóéóéóén, niet dóéóéóén, niet dóéóéóén!')

Om te bewijzen dat hij het meende, zei de wolf dat hij iets voor het meisje zou halen. Iets wat in zijn hol lag en het kostbaarste was wat hij bezat. 'Blijf hier maar even op me wachten,' zei de wolf, 'ik ben zo terug.'

De wolf bleef erg lang weg. Veel te lang, want hij kon het-kostbaarste-wat-hij-bezat niet meer vinden in zijn hol.

Meisjelief wachtte en wachtte en werd langzaam heel erg treurig. Nu ze eindelijk iemand gevonden dacht te hebben die haar zou kunnen helpen, kwam hij niet meer opdagen. Toen nam ze een moedig besluit. 'Ik moet mijn eigen weg gaan,' zei het meisje en dapper stapte ze de wijde wereld in om haar eigen leven te gaan leiden. Ze wilde niet meer afhankelijk zijn van heksen, reuzen, politieagenten en zeker niet van zielige wolven die aan de drank zijn en dingen beloven die ze niet waar kunnen maken.

Toen ze bijna uit het zicht verdwenen was, kwam de wolf toch nog opdagen. Met niets, want hij had het-kostbaarste-wat-hij-bezat nog steeds niet gevonden. De wolf wilde nog roepen: 'Meisjelief, kom terug!' maar toen begreep hij dat hij het voorgoed had verpest.

Het meisje was nog net te zien tussen de bomen in de verte. Ze zwaaide vrolijk naar hem en riep: 'Tot ziens!'

Einde verhaal.

De kinderen begrepen er volgens mij geen bal meer van. Die dachten dat het nog niet afgelopen was. Maar de poppenspeler zat te janken achter zijn kast en kon geen woord meer uitbrengen. Gelukkig kwam toen Sinterklaas binnen.

Lieve Sonia, je bent en blijft mijn dochter. Maar ik ben en blijf een wolf die aan de drank is en die het-kostbaarste-wat-hij-bezat is kwijtgeraakt door zijn eigen stomme schuld.

Tot ziens, lieve Sonia, tot ziens,

Ties

Lieve Ties,

Ik woon nu drie maanden op Harsholt. Het valt gelukkig hartstikke mee. Ze zijn hier minder streng dan op De Klepper, maar dat komt ook omdat ik naar de blauwe groep mocht. (Dat is een soort Unit A.) Ik heb al een nieuwe vriendin, Anne, die gelukkig net zo gestoord is als Chrissie. O ja, mama heeft een kindje: Jan-Ruben. Het is een meisje, ze lijkt sprekend op mij.
Nee hoor, grapje. Een jongetje natuurlijk. En heel lief, eerlijk gezegd. (En ik heb niks onaardigs over de naam gezegd!)
Mijn school is acht kilometer verderop, ik mag er gewoon zelf op de fiets heen. Wil je nog weten wat ik in mijn broodtrommel heb en welke sokken ik draag?
Wat een kakelkip ben ik!
Eigenlijk wil ik dit zeggen:
IK MIS JE, HOOR TIES!

Ik mis geen vader die na schooltijd klaarzit met een kopje thee. Zo'n vader heb ik nu eenmaal niet, daar ben ik nu wel achter. En zo'n vader hoef ik ook helemaal niet.
Ik mis mijn groenteman.
Ties, zullen we weer schrijven? Meer niet. Dat was toch leuk?
Ik red me heus wel zonder jou, maar ik wil graag vertellen hóé ik me zonder jou red.
Ik hoor het wel.
Dag lieve Ties!

Kusje van Sonia

Hallo lieve Ties!

Ik ben zo blij dat je belde! Ik wil het liefst meteen een brief van tien meter schrijven, maar ik moet mijn kamer uit-mesten van de leiding, anders mag ik vanavond niet uit. (Oei oei, leuke jongen achter de bar in de Zwing.)
Morgen schrijf ik alles, alles, alles.
En ik ben héél benieuwd naar Teuntje! Zwart met één wit pootje, lief zeg! Ik hoop dat hij je net als Bolle wakker likt als je te lang op de mat blijft liggen.

Dag lieve Ties, dikke als-vanouds-kus van Sonia

P.S. Ik ben en blijf je dochter!